VIE DE MILENA
De Prague à Vienne...

JANA ČERNÁ

Vie de Milena
De Prague à Vienne...

TRADUIT DU TCHÈQUE
PAR BARBORA FAURE

AVANT-PROPOS DE
STAŠA FLEISCHMANN

MAREN SELL & CIE

Titre original :

MILENA JESENSKÁ

La première publication de cet ouvrage a été réalisée
avec le concours du Centre national des lettres

AVANT-PROPOS

En adressant des lettres pleines de fougue et d'une spiritualité douloureuse à une jeune femme tchèque, Franz Kafka ne se doutait certainement pas qu'il était en train de frayer un certain passage vers le monde à une culture qui ne l'intéressait pas outre mesure. En effet, par un bizarre et surtout tragique concours de circonstances, il révéla au monde le nom de Milena Jesenská, personnalité remarquable du monde intellectuel tchèque entre les deux guerres.

Bien entendu, si Kafka reflétait la crise universelle, Milena reflétait la problématique tchèque. Le livre de Buber-Neumann, compagne d'infortune de Milena au camp de Ravensbrück fit le reste : Milena Jesenská devint après sa mort une des héroïnes des lecteurs occidentaux.

Aujourd'hui, Milena est à la mode. On accumule des informations à son sujet, on publie ses articles, elle est le sujet de thèses de doctorat, on tourne des films sur elle...

C'est vrai, elle était bien plus qu'une passion temporaire du grand écrivain pragois de langue allemande; c'est vrai aussi, elle était quelqu'un de bien différent de la « dévergondée » décrite sur les ondes de France-Culture par une spécialiste pos-

sessive de Kafka. Elle était avant tout un personnage illustrant avec force le destin tragique, compliqué, riche et en même temps limité de l'intelligentsia tchèque de la première moitié de notre siècle.

Ses désirs et ses déceptions, ses croyances et ses erreurs sont inséparablement liés à son temps et au destin de sa nation. Depuis la rupture de l'histoire des pays tchèques avec l'ancienne monarchie austro-hongroise, la vie de Milena se fondait dans l'extraordinaire vague de la nouvelle renaissance tchèque, dans cette sorte de laboratoire de démocratie au confluent des influences françaises et de celles de la révolution d'Octobre.

Milena fait corps avec cette époque, en devient une des animatrices et finalement, hélas! également une des martyres.

Ses amis les plus proches, de langue tchèque ou allemande, tous fraternellement liés, se comptaient par dizaines. Kafka, évidemment, mais aussi Max Brod, Willy Haas, Franz Werfel, Laurin, le directeur du quotidien Prager Tagblatt. Parmi ses amis tchèques, comptaient tous ceux qui représentaient la vie politique et culturelle du pays, fussent-ils d'une gauche démocratique ou léniniste. Pour saisir l'intime liaison de Milena avec la fulgurante flamme de la première République tchécoslovaque (qui est pour un étranger souvent incompréhensible), il suffit de rappeler quelques anecdotes bien significatives : le premier texte de Kafka en traduction tchèque parut dans la revue dirigée à l'époque par le très léniniste S. K. Neumann. Milena lui força la main et sut le persuader que « Le chauffeur », premier chapitre de L'Amérique, traitait d'un sujet éminemment social. Plus tard, son admission au parti communiste fut parrainée par le très stalinien Gottwald et Milena devint alors une des plus radicales journalistes de l'extrême gauche. Mais quand, grâce surtout à son mari Krejcar, architecte de talent qui avait essayé de courir sa chance à Moscou, elle sut ce qui se passait en réalité dans la « patrie de tous les opprimés », elle rompit avec éclat avec son idéal et devint une des dénonciatrices les plus percutantes de la désinformation de l'époque. Et à l'heure de l'abandon de son pays par les Alliés, alors rédactrice d'un journal libéral, Přítomnost, elle dévoila avec un courage forçant l'admiration de tous les démocrates, les sévices des nazis des Sudètes et les faux de la propagande de Goebbels[1]. Dans Prague occupée, Milena n'hésite pas un seul instant à sacrifier toutes ses forces à la lutte clandestine...

En dépit d'attaques honteuses et de silences tout aussi méprisables, rien ne saura effacer le souvenir de Milena dans la mémoire des Tchèques.

*

Imaginons quelle pouvait être la vie de la fille d'une pareille femme trop tôt disparue. L'existence d'une fille arrachée à sa mère, vécue dans un pays occupé par les nazis et enfin sous la férule stalinienne. L'auteur du livre qu'on va lire, Jana Černá, avait, dans des conditions très précises et dictées par l'environnement, strictement tout contre elle, y compris son talent et sa soif désordonnée de liberté individuelle.

Si sa mère était la fille d'un éminent universitaire, Jana – que tous ses proches n'appelaient que Honza – n'était qu'une fille d'une « ennemie de l'Union soviétique ». Honza adulte était un être par trop fragile dans une société qui se dévelop-

---

1. Voir à ce sujet l'excellent recueil de ses articles, Vivre, paru aux éditions Lieu commun.

pait dans son pays. Le nouveau régime de démocratie populaire exigeait une uniformité de pensée, d'agir, d'expression. Pour la fille de Milena et de Krejcar, dotée d'une personnalité indéniable, cette existence était impossible. Réagissant à sa manière, elle devait en subir les conséquences.

Déjà, l'éducation de Milena, qui aurait pu être éventuellement positive si elle n'avait été stoppée alors que sa fille n'avait que onze ans, appelle certaines interrogations. Milena traitait son enfant en adulte; une enfant qui, bien qu'intelligente et mûre pour son âge, n'en demeurait pas moins une enfant. Honza en sut alors peut-être trop, trop jeune, sur les gens qui l'entouraient, sur leurs relations intimes. Elle apprit à mentir, à « sécher » ses classes et à trouver les excuses les plus ingénieuses.

Milena s'en était rendu compte et lors des rares visites de Honza à la prison de Pankrác, ou plus tard au palais pragois de la famille Petschek transformé en siège de la Gestapo, elle essaya de la rapprocher de son grand-père et de son père, Krejcar. On a pu conserver une des lettres de Milena envoyées de la prison de Pankrác à Honza :

« Ma petite Honza,
« Je veux seulement te dire que tu sois calme et gaie. Moi je suis en bonne santé et je suis très heureuse à l'idée de te voir bientôt. Bientôt je vais encore partir mais peut-être pas pour longtemps, tu pourras certainement me rendre visite, s'il te plaît, fais-le. Le grand-père ne pourra pas aller si loin mais ton père aimera sûrement venir et t'accompagnera. Sois gentille avec papa, Honza, aime-le, papa est gentil, je l'aime aussi. Mais surtout, Honza, je t'en supplie, respecte les désirs de grand-père et sois obéissante. Le grand-père est extra, Honza, avec moi il se comporte merveilleu-

sement et tout ce qu'il te demande, il le fait pour ton bien, pour ton avenir. [...] Sinon, ma petite fille, imagine que nous sommes de nouveau ensemble dans une petite chambre, si nous n'avons plus l'ancienne, ne pleure pas, nous en aurons une autre, nous en trouverons toujours une très belle, le soir nous nous allongerons et nous nous raconterons des histoires. Je t'en raconterai beaucoup et tu me raconteras tout sur toi encore plus franchement qu'à la meilleure amie, tu me diras tout, n'est-ce pas, ma petite fille adorée? Honza, s'il te plaît, écris-moi plus souvent qu'il n'est permis, les lettres de l'enfant parviennent toujours, tu sais. Et écris soigneusement, Honza, les choses importantes, tout ce qui te concerne m'intéresse, les moindres détails.

« Figure-toi que j'attends tous les jours, tous les jours, quoi que tu fasses; je suis assise quelque part et j'attends un petit mot de ta part. Pendant des mois entiers je n'ai au monde rien d'autre que les petites phrases de toi, je les connais par cœur. Honza, te souviens-tu, tu m'as écrit une fois que tu m'aimeras quand je serai vieille? Je le suis déjà, ma chérie. Une vieille maman qui n'a rien d'autre que toi mais c'est immense, je suis terriblement riche, Honza, et heureuse de t'avoir. Pense à cela, ma fille, ne me laisse pas attendre et fais-moi plaisir en rendant le grand-père content.

« Je t'embrasse et me réjouis terriblement d'avance de te voir, de voir le jour où je pourrai être avec toi, toi ma meilleure copine.

« Ta maman, Milena. »

Mme Buber-Neumann m'avait raconté qu'un des plus grands soucis de Milena à Ravensbrück concernait la destinée de sa fille. Elle avait des remords, envers Honza et envers les proches et amis auxquels elle dut confier son enfant. Elle savait que Honza ne réussissait jamais à rester dans telle ou telle famille; cependant elle ignorait l'ampleur de la réalité : garder Honza mettait à rude épreuve les meilleures intentions. La jeune fille était décidée à se comporter à sa manière, totalement incontrôlable...

Après la Libération, Honza s'inscrivit au Conservatoire, qu'elle oublia très vite, puis elle publia quelques articles. Mais elle se trouva vite démunie. A la mort de son grand-père, le docteur Jesenský, elle hérita d'une somme considérable : un million de couronnes. A l'époque, je ne me trouvais pas à Prague et la manière dont elle fit un sort à cet argent ne m'a été décrite que plus tard, par Honza elle-même : elle réussit à tout dépenser en une seule année! Elle s'était installée dans l'appartement bourgeois, meublé d'antiquités, du grand-père, en compagnie d'un groupe de jeunes, dont certains se prétendaient surréalistes. Et un taxi loué à la journée était à la disposition de ces Messieurs-Dames, dont Honza était le mécène enthousiaste...

Sans un sou, elle vendit les meubles et partit pour la maison de campagne du grand-père dans la région de Dobříš. Lors d'une promenade en forêt, elle fut interpellée pour vagabondage et accusée de « parasitisme ». Par ironie du sort, la police l'envoya faire le ménage au château de Dobříš, mis à la disposition de l'Union des écrivains tchécoslovaques. Au premier écrivain rencontré, elle se présenta en tant que fille de Milena. Elle lui demanda de l'argent et s'en retourna à Prague.

En 1949, elle se maria pour la première fois, mais le mari partit peu après en Israël. De son deuxième mari, Miloš Černý, elle eut trois enfants, deux garçons et une fille. Černý accepta le quatrième bien qu'il sût qu'il n'était pas de lui. Après une énième séparation, elle fit divers

10

métiers. Elle devint concierge mais ne s'occupait pas de l'immeuble; une autre fois elle fut poinçonneuse dans un tramway. Un jour, elle décida de ne plus aller travailler mais oublia de rendre sa sacoche, les billets... et aussi l'argent. Tout ceci créa des problèmes qui la précipitèrent dans une effroyable misère.

Il était difficile de l'aider car toute aide ne pouvait être que temporaire.

Elle adorait ses enfants, mais ne savait pas s'en occuper. Elle vivait dans l'angoisse qu'on les lui enlève, ce qui, en dépit de l'effort de ses amis, arriva. Les enfants furent confiés à l'Assistance publique. Elle se maria pour la troisième fois. Quand les enfants revinrent de l'Assistance, deux vivaient avec elle, deux avec leur père. Le troisième mari ressemblait à certains égards à Honza : les enfants furent abandonnés à eux-mêmes.

Honza se mit à écrire. En 1964, une année assez libérale, elle publia sa première longue nouvelle : L'Héroïsme est obligatoire. Un livre talentueux qui esquissait d'une certaine façon deux attitudes inverses : celle d'un mari pragmatique et sans illusions; celle d'une femme optant pour la résistance et emportée dans la tourmente. Le tout raconté par l'enfant des deux protagonistes. En 1966, elle publia un recueil de récits : Ils n'étaient pas mes enfants.

Honza perdit alors beaucoup de ses amis, qui lui reprochaient sa façon de mener sa vie. Elle rompait avec d'autres, délibérément, ou « disparaissait », ne voulant pas qu'ils sachent comment elle vivait : au début de ces années 60, ses conditions d'existence étaient effroyables.

Avec ma sœur, nous réussîmes un jour à pénétrer dans son logis; nous fûmes consternées. Par la suite, nous apportâmes aux deux garçons de quoi manger. Nous payions les déjeuners à la cantine, les encouragions à venir chez nous. A la fin, les enfants furent confiés au père par décision judiciaire.

De temps à autre, Honza me rendait visite à mon travail. Une fois, elle me dit être invitée à une réception, à l'ambassade d'Israël, donnée en honneur de Max Brod en visite dans sa ville natale. Elle refusait d'y aller, n'ayant rien à se mettre... Je l'ai persuadée du contraire et l'ai renvoyée à la maison pour qu'elle s'arrange un peu. Plus tard, à la réception, où nous étions aussi présents mon mari et moi, je n'en crus pas mes yeux : elle s'était coiffée et habillée avec goût; quelques chiffons épinglés avec grâce avaient fait l'affaire.

Je lui portais des assiettes remplies de petits fours parce que je savais qu'elle était affamée. Elle bavardait avec entrain, en allemand et en anglais, avec les invités, mais Max Brod, me sembla-t-il, ne lui porta que peu d'intérêt.

Au début de l'année 1965, elle eut un nouveau garçon. Malheureusement, tout tourna encore au pire. On la convoqua devant la justice pour soins insuffisants à l'enfant et, bien que son délit fût largement partagé avec son époux, elle insista pour s'attribuer tous les torts. Elle fit un séjour d'une année à la prison de la ville de Pardubice.

Le pays connut à ce moment-là une nouvelle vague d'une certaine libéralisation et Honza décida d'écrire un livre de souvenirs sur Milena – sa mère. Le plus intéressant dans ce livre sont ses propres souvenirs et son extraordinaire capacité d'évoquer avec précision les attitudes d'une mère qu'elle avait perdue si tôt : ses mouvements, sa façon de s'habiller, ses comportements envers elle-même. Elle s'était, bien entendu, également servie des souvenirs que lui avaient confiés de nombreux amis de Milena.

12

Je regrette de n'avoir pas été à Prague à cette époque, je lui aurais raconté comment Milena nous donnait, à ma sœur et à moi, des cours de marxisme-léninisme, alors que nous avions tout juste douze ans, avec quel soin exagéré sa mère s'occupait d'elle quand elle était toute petite, ne l'habillant que de robes qu'elle avait tricotées elle-même, et comment elle nous la confiait pour des après-midi entiers quand elle avait à peu près quatre ans.

Je lui aurais aussi rappelé nos traversées de la Vltava à la nage et ses sauts du grand tremplin de la piscine Axa...

Un jour, Honza reçut à Prague un avis de la Banque Nationale. Elle n'y alla que beaucoup plus tard, quand, par hasard, elle passa devant. On lui remit une liasse de billets, « pour le Kafka ». Cela suffit à peine à payer quelques dettes...

Le livre sur Milena parut en 1969, en mille exemplaires, mais, au dernier moment, la vente fut interdite. Avec mon mari nous avons essayé de le faire traduire et publier à Paris. Nous ne rencontrions qu'indifférence : Milena n'était pas encore en vogue...

Staša Fleischmann[1].

---

1. Staša Fleischmann, née à Prague en 1919, est la fille de Staša Jilovska, amie d'enfance de Milena. C'est à la famille de Staša que Milena avait souvent confié sa fille Jana. Staša Fleischmann a connu Jana Černá depuis sa naissance et a joué auprès d'elle le rôle d'une grande sœur
Elle vit à Paris depuis 1964.

I

> « Savoir consume déjà tant de
> forces, que serait-ce de l'op-
> posé ? »
>
> Franz KAFKA,
> *Lettres à Milena*[1].

LA guerre était finie. Milena était morte depuis un an, mais je refusais toujours de le croire. Une des femmes de Ravensbrück, restée auprès de Milena jusqu'à ses derniers instants ou presque, m'en fournit la preuve. Elle m'écrivit une longue lettre sur la vie de maman en déportation. Elle y décrivait minutieusement un tissu de rapports que j'étais alors loin de pouvoir comprendre. Elle citait une foule de noms qui ne me disaient absolument rien. En elle-même, cette lettre n'aurait sans doute pas suffi à me faire admettre cette chose si claire et pourtant si difficile à comprendre : Milena n'était plus.

Quelques jours plus tard, l'amie en question se présenta chez moi. Elle m'apportait un cadeau : une dent. Milena, atteinte de parodontose, la lui avait donnée lorsque ses dents se détachaient de ses gencives une à une.

---

1. Franz Kafka, *Lettres à Milena*, traduction d'Alexandre Vialatte, p. 216, « Idées », Gallimard, 1956.

C'est dans un bureau du palais Petschek[1] que j'ai vu Milena pour la dernière fois. Après, j'ai vu son portrait, un dessin qu'avait fait d'elle une Polonaise, elle aussi internée à Ravensbrück. Mais Milena en chair et en os plus jamais.

Jusqu'à ce jour. J'avais devant moi sur la table un fragment de son corps, un éclat de son sourire, une parcelle de la bouche qui m'avait naguère parlé.

Avec ce simple commentaire : « Voilà tout ce qui reste de Milena. Je voulais te faire plaisir, alors je te l'ai apporté. »

Cette ancienne codétenue de ma mère est l'une des femmes les plus merveilleuses que je connaisse. Mais même les êtres les plus merveilleux ne peuvent parfois éviter de parler crûment. Ou plutôt : même les êtres les meilleurs se voient parfois dans l'obligation d'exprimer la réalité dans toute sa cruauté. Pour ce qui est de Milena, personne, me semble-t-il, ne l'a jamais fait avec la même concision, jointe à tant d'effroyable minutie. Pour moi en tout cas, c'était la première preuve, désormais impossible à réfuter, de la mort de maman.

Peut-on vivre aux côtés d'une urne contenant les cendres d'un proche, un corps dont la substance métamorphosée ne ressemble plus en rien à la personne vivante de naguère ? Peut-être. Je ne sais pas. Ce que je sais, en revanche, c'est qu'on ne peut vivre avec le fragment d'un corps irréversiblement mort. Rester au contact du souvenir matériel d'un être qui a cessé d'exister.

Je le sais parce que je m'y suis essayée. En vain : je ne pouvais pas vivre avec cette chose à côté de moi. Je ne pouvais pas davantage m'en dessaisir. Je manquais de courage pour jeter l'irremplaçable relique autant que pour me résoudre à la donner.

1. Palais Petschek : cette ancienne demeure des banquiers de Petschek est devenue le Q.G. de la Gestapo pragoise.

Par chance, je n'ai pas la mémoire infaillible de Milena. Un beau jour, ma capacité d'oubli me vint charitablement en aide. Je rangeai la relique et je ne l'ai plus retrouvée.

A mon sens, l'oubli appartient aux droits les plus fondamentaux de l'homme. C'est l'une des rares libertés irréductibles et inaliénables de chacun d'entre nous. L'enfant qui se souviendrait de tout ce qu'il a vécu avant de faire sa paix avec le monde, serait probablement névrosé au dernier degré à cinq ans, bon pour l'asile à douze, bon pour le suicide à quinze. Pour tout dire, même le peu que l'on emmagasine dans sa mémoire atteint à la limite du supportable.

Comme l'évanouissement face à une douleur qu'on ne peut tolérer, l'oubli de ce qu'on ne peut supporter constitue l'une de nos maigres défenses contre le monde et contre nous-mêmes. Et nous avons parfois diablement besoin de nous défendre de l'un et de l'autre.

A ma connaissance, Milena n'a jamais usé de ce privilège si communément employé. Elle gardait clairement présente à l'esprit chaque minute de sa vie : on eût dit que sa mémoire, non contente de lui refuser la miséricorde de l'oubli, fabriquait avec le temps une vision plus nette et plus précise du passé. Voilà pour moi l'une des clefs de sa vie, du premier jusqu'au dernier de ses jours.

Après la mort de Milena, lorsque je me suis mise à poursuivre son souvenir dans ma propre mémoire, dans les souvenirs de ses amis ou de ses ennemis, dans ses lettres, ses articles et les quelques riens qui demeurent d'elle, je mesurai à chaque pas de quel insupportable poids cette lucidité lui avait pesé. Mais aussi quelle force secrète elle y avait puisée.

Milena morte, j'ai parlé d'elle avec un grand nombre de gens. Tous, ou presque, sont persuadés de l'avoir bien connue, d'avoir autorité pour témoigner sur elle. Là est le principal motif qui me décide à écrire ce que je sais de ma mère, vingt-trois ans après sa mort et quinze ans après la première publication des *Lettres à Milena*.

Aucune vie humaine ne livre facilement son mystère. La vie toute simple d'un homme sans histoires se refuse en réalité à notre investigation. L'intéressé lui-même, sans parler de son entourage, échouerait à en rendre un témoignage parfait. Tout cela, je le sais. C'est même la raison pour laquelle j'ai tant hésité à parler de Milena. En m'y décidant aujourd'hui [1], je n'ai pas la moindre certitude d'arriver à tout dire d'elle. Mais, que je sache, toutes les tentatives de le faire se sont jusqu'ici soldées par des échecs.

Il est assez curieux de voir à quel point le vingtième siècle de l'ère chrétienne – un âge qui passe pour être celui de la raison, de l'esprit, de la lumière, que sais-je encore – supporte mal la vérité toute nue. Son cœur aux battements rationnels se rebiffe à l'idée que la maîtresse du grand homme ait pu être tout sauf angélique. Que sa réputation, de son vivant même, ait été celle d'une femme pleine de contradictions étranges et obscures, difficile à vivre et difficile à comprendre. (Mais est-il jamais facile de vivre aux côtés d'autrui, et surtout d'une personne « simple »?...)

De là vient que, parlant de Milena à propos de Kafka, les auteurs s'efforcent le plus souvent de l'idéaliser, ne serait-ce qu'en taisant certaines réalités qui démentent d'une façon trop hurlante l'image de la bien-aimée séraphique du grand génie. On croirait avoir affaire à ces naïves images de foires où la Vierge Marie figure sous les traits d'une jeune fille suave et douce comme une fleur, à ces représentations de la Mère de Dieu au teint rosé, aux cheveux d'or éclatant recouverts d'un

1. Le livre de Jana Černá fut écrit en 1967.

voile azuréen. Et, de même que ces images, cette conception fausse recèle pourtant sa part d'étrange vérité.

Ainsi disent les uns. D'autre ont érigé le dogme suivant : que Milena ait été le grand amour de Franz Kafka, soit. Mais alors, ma mère devait obéissance à la discipline et aux directives du parti, pour mériter que la chose soit admise et qu'on parle d'elle du moins à propos de Kafka. Elle était tenue d'afficher son empressement à commettre toutes les erreurs que cela imposait à l'époque. Or, elle n'a montré ni cette discipline ni cet empressement.

Nous voici donc avec un double portrait de Milena Jesenská, tantôt campée en traîtresse, sapant le moral de ses compagnes d'internement auxquelles elle soutient que, pour des raisons politiques, la pratique stalinienne du pouvoir prive de liberté une masse de gens; tantôt représentée en ardente patriote tchèque, vêtue d'une aube blanche et prêchant l'amour de la patrie tout en arpentant l'avenue Na Příkopě ou l'avenue Ferdinand.

Selon moi, deux époques de la vie de Milena sont surtout susceptibles d'intéresser le lecteur : celle où se sont noués, déroulés, puis rompus ses liens avec Kafka, période courte, mais probablement d'une importance infinie pour l'un comme pour l'autre. Celle ensuite où Milena s'est détachée du parti communiste, où elle a cessé de croire que l'Union soviétique de son temps était le seul sauveur véritable non seulement de la classe ouvrière, mais aussi de l'ordre et de la paix mondiale.

Ni l'un ni l'autre de ces moments charnières de sa vie n'est le fait du hasard. (D'ailleurs, si peu de choses, surtout lorsqu'elles sont importantes, sont dues au hasard dans une vie humaine...) Ils viennent conclure une évolution complexe du caractère de Milena, de ses qualités, de toute sa personnalité. Et c'est cette évolution, c'est tout ce qui a précédé le moment de sa première rencontre avec Franz Kafka auteur, qui ont permis à Milena de jauger la valeur de l'écrivain et de devenir la première traductrice tchèque de son œuvre.

Dans un article publié en son temps dans *Kulturní Tvorba (Création culturelle)*, Mme Gustina Fučíková[1] déclarait qu'il était impossible de voir en Milena l'amie de Kafka sans y voir aussi la femme qui avait douté du rôle du parti communiste et de l'Union soviétique. L'amie de Kafka et la journaliste d'avant 1939 n'étaient qu'une seule et même personne.

Me pardonnera-t-on de donner sur ce point raison à Mme Fučíková? En effet, c'est impossible. La femme qui a mesuré la grandeur de Kafka, qui a compris l'origine de son angoisse permanente, n'en fait qu'une avec celle qui, après les procès de Moscou, s'est montrée incapable de dominer sa propre angoisse face aux événements qui se déroulaient dans l'Allemagne ennemie comme au pays où J. V. Staline régnait en maître.

Cette critique-là, je l'ai entendue plus d'une fois. On reprochait à Milena d'avoir dispersé ses énergies, avant et pendant la Deuxième Guerre mondiale. Il était criminel alors de condamner dans un même souffle l'Allemagne et nos propres fautes. C'est possible. C'est peut-être même vrai. Mais Milena n'avait rien d'une tacticienne. C'était une colérique. Attendre la fin de la lutte et, après seulement, purger le parti vainqueur de ses tares ne lui venait pas à l'esprit, tout bonnement parce qu'un tel comportement était contraire à sa nature. C'était hors de son univers. Lorsqu'elle s'enflammait pour une cause, Milena était capable

---

1. Gustina Fučíková : veuve de Julius Fučík, arrêté et torturé par la Gestapo, auteur présumé de *Ecrit sous la potence*, lecture obligatoire en Tchécoslovaquie.

de sacrifices démesurés, insensés. Mais garder la tête froide, rester lucide lorsque la cause ou l'être aimé l'avaient déçue, cela, elle ne le pouvait pas. Pour autant que je sache, au moment de son entrée au parti, Milena brûlait d'enthousiasme pour l'Union soviétique. Et pour autant que nous sachions tous, cette même Union soviétique, dirigée par J. V. Staline, a déçu, cruellement et jusqu'au sang, ceux qui brûlaient pour elle. Je me trompe peut-être. Oh! comme je le voudrais! Comme je voudrais que les années qui ont précédé le XXe congrès n'aient été qu'un mauvais songe. (Ne parlons pas de celles qui l'ont suivi, elles n'ont plus rien à voir avec Milena.) Quant aux révélations dudit congrès, elles auraient tout du cauchemar. Mais si je ne me trompe pas, qu'on me dise alors de quel droit on peut reprocher à Milena d'avoir dit sa déception et manifesté son amertume.

II

« Quelqu'un aurait-il engendré
cent fils et reçu le don d'une
longue vie, si cette vie n'a pas
abondé en bienfaits... alors je
dis : l'homme sans descendance
est plus heureux que lui. »

SALOMON.

MILENA est née à Prague, à l'extrême fin du siècle
dernier, le 10 août 1896. Son père, Jan Jesenský,
médecin et professeur d'Université, était le type
parfait du self-made-man. D'ailleurs la chose
n'avait en elle-même rien d'exceptionnel : c'était
quasiment un trait de famille. Jan Jesenský avait
sept frères et sœurs, tous brillants sujets. Trois
d'entre eux sont parvenus à laisser leurs noms à la
postérité, chacun dans son domaine : on retrouve
leurs noms dans les ouvrages ou les anthologies
relatifs à leur discipline. Sans doute n'est-il pas
inintéressant de signaler que, grâce au choix sélec-
tif de mon grand-père et de Milena elle-même, je
n'ai personnellement connu que ces trois frères et
sœurs à succès. Les autres, je ne les ai rencontrés
qu'après la mort de mon grand-père, dans son
appartement plein d'horloges et de mobilier
ancien. Et ce fut à qui me persuaderait le mieux
parmi eux qu'il était bien « ce bon oncle » ou cette
« gentille tante » que je n'avais certainement pas

oublié, et à qui je donnerais bien, n'est-ce pas, un petit quelque chose de mon héritage, en souvenir du « vieux monsieur ». Tiens, un morceau d'or dentaire, peut-être, ou, pourquoi pas, justement ce tableau qui pend au mur au-dessus de nous... (Je les avais bel et bien oubliés et pour ce qui est de l'héritage, j'ai fort bien su le liquider en un temps record sans l'aide de personne. Grâce à quoi je m'entends rappeler encore aujourd'hui que je suis le portrait tout craché de ma mère, mais ça, c'est une autre histoire...)

Pour en revenir au père de Milena, c'était un excentrique au sens fort du terme. Il n'a jamais réussi à vivre en bonne intelligence avec son entourage et son entourage lui rendait allégrement la pareille.

Mon grand-père avait fait ses études dans les pires conditions possibles, tout en gagnant sa vie comme il pouvait. Doué d'une oreille absolue, il avait appris à jouer du violon et, le soir venu, il partait bercer de chatouillements musicaux les oreilles de la bonne société. Il donnait aussi des leçons. Il alla paraît-il – comme Milena le fera plus tard à Vienne – jusqu'à faire le porteur dans les gares pragoises. Bref, c'était un pauvre parmi les pauvres et sa condition sociale l'humiliait plus qu'il n'y paraissait. Ce qui le consolait et pansait un peu son orgueil blessé, c'était de savoir qu'il descendait de Jan Jesenius, ce premier professeur de méde-cine à l'Université Charles, exécuté en grande pompe place de la Vieille-Ville le 21 juin 1621 en même temps que vingt représentants de la noblesse tchèque. Mais si cette conviction apaisait les bles-sures de son amour-propre, elle n'empêchait pas ses pantalons lustrés de reluire ni n'allégeait les valises des voyageurs fortunés.

Ses études terminées, mon grand-père épousa la fille d'un inspecteur général des écoles, Milena Hejzlarová, dont la dot lui permit d'ouvrir son propre cabinet médical. A en croire Milena, l'inspecteur et son épouse se sentaient en droit d'attendre de leur gendre un minimum de reconnaissance. Ils s'imaginaient sans doute qu'elle leur était due, vu la fortune que leur fille avait apportée à son mari. Fort bien : Jesenský resta leur débiteur toute sa vie, mais il ne pardonna jamais à sa femme ni son aide matérielle, ni sa famille. En son for intérieur il les haïssait tous cordialement, de cette haine rageuse et tenace, « prolétaire », accumulée à force de trimer de bars en gares pour payer ses études.

De petit étudiant miséreux qu'il était, il se transforma en dandy pragois. Ses armoires débordèrent de costumes, d'une coupe et d'une confection parfaites. Ses paires de souliers étaient innombrables, et encore plus difficiles à entretenir dans l'état de perfection qu'il exigeait absolument qu'à comptabiliser.

Il y eut un temps où il s'adonna aux jeux de hasard et perdit des sommes incroyables aux cartes. A une autre époque, il passa de maîtresse en maîtresse et d'une intrigue amoureuse à une autre. Une de ses aventures s'acheva même par le dernier duel dont Prague fut le témoin. Si personne n'en mourut, un peu de sang y fut quand même romantiquement versé. Et pendant tout ce temps, notre docteur poursuivait son travail avec un acharnement incroyable et s'ingéniait à donner à sa fille la plus puritaine des éducations. Il était susceptible, orgueilleux, rageur, sentimental. D'une bonne santé féroce. D'une résistance presque malsaine. Il mourut à soixante-quinze ans, deux ans après Milena, non sans avoir pris le temps d'épouser sur son lit de mort la maîtresse qui vivait auprès de lui depuis de nombreuses années. Auparavant, il s'était toujours refusé à le faire, sans doute parce que seule la certitude d'une mort imminente pouvait le réconcilier avec la perspective d'un mariage lui ôtant la liberté.

La mère de Milena, Milena Hejzlarová, était une créature belle, fragile, atteinte d'un mal incurable. Elle mourut lorsque Milena était âgée de seize ans. Longtemps avant sa mort, elle était devenue impotente. Milena ou son père devaient la véhiculer dans un chariot d'infirme et se relayer auprès de son lit pendant de longues et épuisantes veilles. A l'époque de son arrestation, Milena se réveillait encore chaque nuit vers une heure du matin : l'heure où la malade prenait ses médicaments; il ne fallait surtout pas la laisser passer quand, enfant, c'était son tour de veille.

Milena ne fut pas le seul enfant né de l'union de Jan Jesenský avec Milena Hejzlarová. La fillette avait environ quatre ans lorsque Mme Jesenská, un peu souffrante et anémique déjà, mit au monde un garçon, porteur de grandes espérances, qu'on baptisa Jan, selon la tradition familiale. Malheureusement, sa mère, affaiblie, épuisée par la maladie et l'accouchement, se montra incapable de l'allaiter. Et le professeur Jesenský, plein de répulsion envers tout ce qui n'était pas aussi férocement sain et indestructible que lui, refusa d'engager une nourrice. « Puisque ma femme ne peut pas allaiter ses enfants, elle n'a qu'à ne pas en avoir », aurait-il déclaré. On laissa donc le nouveau-né dépérir pendant plusieurs semaines, voué à la sucette et à la sollicitude des bonnes, lorsque celles-ci parvenaient à soustraire de brèves secondes à leurs tâches domestiques pour glisser au malheureux bébé qui un coin de mouchoir trempé d'eau sucrée, qui un nouet de bouillie.

Je ne sais pas exactement combien de temps le petit Jeníček survécut à ce régime de nouets, de sollicitude ancillaire et de haine paternelle. Toujours est-il que sa vie fut brève. Au bout de quelques semaines, il attrapa un catarrhe qui l'emporta rapidement. Alors seulement il recommença à exister dans la conscience du docteur Jesenský. Il fut enterré dans le caveau familial avec la pompe due à son rang et son nom vint s'ajouter sur la pierre tombale. Et je ne crois pas me tromper en disant que, dès cet instant, Milena fut la seule personne au monde qui osât en évoquer le souvenir.

Cela tient vraisemblablement d'un mystère que nous n'éluciderons jamais tout à fait : comment le docteur Jesenský a-t-il néanmoins réussi à ménager à sa fille un grand nombre de minutes heureuses ? Milena aimait tellement les longues promenades dans lesquelles son père l'entraînait qu'elle ne put y renoncer complètement même une fois infirme d'une jambe. Il lui arrivait aussi d'évoquer son père en termes affectueux. Bref, leurs rapports furent ce que j'ai jamais vu de plus bizarre en la matière. Ajoutons que cet invraisemblable salmigondis de peur, d'amour, de dégoût, de haine et de respect offre tant de points communs avec les rapports entre Kafka et son propre père que cette seule ressemblance aurait suffi à les rapprocher. Ce qu'ils avaient en commun, ce n'était pas tant leur rapport au père dans son expression concrète et définitive, mais les différentes composantes de ce lien affectif.

*

Autant qu'il m'en souvienne, je n'ai jamais entendu Milena raconter une seule de ces histoires heureuses que sont généralement les « souvenirs d'enfance ». Tout ce qu'elle me livrait sur cette époque de sa vie avait sa part de laideur, de méchanceté, de tristesse ou de gêne, la plupart du temps tout cela à la fois. Même les incidents les plus anodins, presque risibles, portaient la marque de ses peurs d'enfant, d'une peur sans comparaison avec ce que l'on entend habituellement quand on évoque l'enfance comme « l'âge heureux de la vie ». Racontés par elle, ces incidents prenaient néanmoins une aura magique. Je ne m'en lassais jamais. Des années plus tard, je me suis aperçue que tout ce que je savais de ma mère n'était qu'une mosaïque d'anecdotes ou de vignettes mises en relief, comme extirpées de leur contexte temporel. Comme si pour Milena le temps n'avait pas existé. Comme si tout ce qu'elle avait vécu s'était passé la veille.

Je me souviens que j'adorais ces billes de verre dont la masse emprisonne un arc-en-ciel spiralé. Je les achetais au magasin de jouets du passage Metro, quand Milena ou mon père m'emmenaient avec eux au café ouvert à l'étage supérieur, café où je m'ennuyais à mourir. Je savais l'art de montrer mon ennui d'une manière si franchement désagréable que je finissais toujours par leur extorquer une couronne avec quoi j'achetais ces fameux « arcs-en-ciel ». Milena ne me refusait jamais cette couronne-là. J'ai longtemps ignoré pourquoi justement cette passion rencontrait chez ma mère autant de compréhension. Cela jusqu'à ce que, récemment, un article de *Národní Listy* (*Les Feuilles nationales*) datant de 1925 me tombe sous la main. Milena y écrivait : « Toute petite, près de la chaise longue de maman, j'organisais des batailles entre les billes de verre et les fèves. Je m'arrangeais toujours pour faire perdre les fèves : je ne les aimais pas. » Et le bureau de Milena portait plusieurs presse-papiers, boules de verre emprisonnant dans leur masse des arcs-en-ciel ou des bulles multicolores. Milena restait fidèle à ses amours d'enfant. Sans doute parce que justement elle en avait eu si peu...

Une autre anecdote, parmi les plus anciennes, me paraît typique à la fois de l'époque et de Milena elle-même.

Elle était alors en deuxième ou troisième année d'école primaire. Un jour, je ne sais quelle sommité scolaire annonça sa visite. Tout devait s'accomplir dans les règles : il fallait entre autres trouver la jolie fillette qui remettrait au visiteur un bouquet et lui réciterait quelques vers choisis.

Milena n'avait pas de veine : elle semblait être créée pour la circonstance. Ce rôle d'enfant chargé d'accueillir le visiteur, avec révérence et petit bouquet, lui seyait comme un gant. Il était même extraordinaire qu'elle remplît à ce point toutes les conditions. Jolie, avec ses grands cheveux ondulés et ses gros yeux bleus, fille de médecin, petite-fille d'inspecteur général, il était difficile de trouver mieux. De surcroît, Milena n'était point sotte : on pouvait compter sur elle pour réciter son couplet avec un minimum d'intelligence une fois sur l'estrade, et pour remettre son bouquet avec la révérence voulue au bon moment. Elle était par ailleurs trop jeune pour manifester l'horreur qu'elle avait de ces situations où on la contraignait à faire le « singe savant » – selon son expression.

Nous étions en 1903, donc tout au début de notre siècle. Alors, les domestiques tiraient encore fierté des beaux rejetons de leurs maîtres. La cuisinière du docteur était fière de sa petite Milena comme si elle avait été sa propre fille et, de toute évidence, ce jour allait être une grande occasion. Pour Milena, la cuisinière ne rechignait devant aucun travail. Clairement, son devoir lui enjoignait de préparer sa « fifille » pour son heure de gloire. Donc, le soir venu, elle lava soigneusement les longs cheveux ondulés, les trempa dans de l'eau sucrée et, patiemment, jusque fort tard dans la nuit, elle les enroula mèche à mèche sur des papillotes. Ce n'était pas une mince affaire, car la chevelure de Milena était longue et épaisse. Il était minuit passé lorsqu'elles allèrent se coucher, la cuisinière enchantée de son chef-d'œuvre, Milena désespérée de cette espèce de sparterie odieusement gluante qui lui était poussée sur la tête.

Le matin venu, voilà notre poulotte avec une tête de mouton, des boucles de négresse, dressées comme des ressorts, raidies par l'eau sucrée, indémêlables au peigne. Elle se regarde dans la glace. Elle est laide dans sa robe de parade, sous son atroce coiffure. Elle imagine son arrivée à l'école. D'avance, elle se représente la joie mauvaise de ses compagnes. Elle entend dans sa tête les huées qui vont à coup sûr l'accueillir. Paralysée de honte, elle poussa la porte de sa classe et ce fut bien évidemment l'éclat de rire général. Milena fondit en larmes. Elle se mit à s'arracher les cheveux par poignées. La maîtresse s'interposa. Elle l'emmena jusqu'au robinet et lui relava la tête. Et ce fut avec des mèches ruisselantes le long de son dos emparadé que Milena accueillit le gros bonnet du ministère.

Une autre fois, en rentrant chez elle, Milena fut prise de panique : elle avait peur de marcher toute seule dans la rue. Prétextant qu'elle s'était perdue, elle demanda son chemin à un inconnu qui la reconduisit jusqu'à sa porte. Manque de chance, la supercherie fut découverte et Milena se couvrit de ridicule. Les railleries de ses proches la poursuivirent longtemps : « Alors, comme ça, tu as peur qu'on t'emporte, hein ? », lui disait-on en riant. Cela avait le don d'agacer la fillette : personne ne pouvait donc comprendre qu'elle n'avait pas craint le mal qu'on aurait pu lui faire, mais qu'elle avait simplement peur d'être seule ?... Cette peur est restée gravée dans sa mémoire. Dans un article écrit pour *Národní Listy*, on peut lire : « Je m'asseyais sur les troncs d'arbres coupés, en contrebas de Letná, et je faisais des châteaux en empilant des marrons brun-rouge. Comme je traversais ensuite le pont pour rentrer, j'arrêtai un passant et lui demandai mon chemin, simplement pour que quelqu'un me parle, à moi si petite, perdue parmi ces inconnus pressés. »

Un jour, lorsque sa mère était déjà malade, Milena eut une envie folle de sortir. La patiente s'était endormie, son père était sorti – il n'arriverait sûrement rien de grave pendant ces quelques instants dérobés... Milena sortit sur la pointe des pieds, dévala l'escalier jusqu'à la rue. Elle ne s'attarda pas longtemps, une petite demi-heure à peine, et elle revint aussi discrètement qu'elle était partie. Les yeux de la malade étaient toujours fermés, tout allait bien. Un long moment s'écoula. Puis sa mère ouvrit la bouche : « Tu sais, je te comprends très bien, ma petite fille. Moi aussi, je souhaiterais tellement m'enfuir, ne serait-ce quelques instants. Si seulement je le pouvais... »

Une fois, fait exceptionnel, le docteur Jesenský eut l'idée d'apporter à son épouse un bouquet de violettes. C'était le début du printemps. Peut-être avait-il eu pitié de cette femme alitée depuis des jours et des jours. Il lui fit un très vif plaisir. Elle n'arrêtait pas de regarder ces fleurs. Milena dut les changer de place je ne sais combien de fois dans la journée. Mais le soir même, le docteur eut la visite d'une de ses séduisantes clientes. Il entra dans la chambre de sa femme, s'excusa, prit les violettes dans le vase et les offrit à sa visiteuse.

Milena se souvenait bien de cet incident. Il s'était imprimé dans sa mémoire aussi précisément que les autres. Elle n'en continua pas moins d'aimer les violettes, sans reporter sur elles toute l'amertume de cette scène, comme il lui arrivait parfois de le faire. Elle haïssait certains objets ou certaines fleurs, justement à cause des souvenirs qui s'attachaient à eux. Je me souviens d'une promenade où nous passâmes près d'une fenêtre à laquelle s'épanouissait une touffe de cœurs-de-Marie. Comme je la trouvais belle, cette plante luxuriante aux tiges chargées de cœurs! Je ne comprenais pas pourquoi Milena détournait la tête. Elle m'expliqua sa répulsion : même quand j'étais toute petite, elle ne laissait jamais mes questions sans réponse. Une fois de plus, un incident qui remontait à son enfance expliquait tout.

Sa mère, déjà malade, se trouvait en cure dans une ville d'eaux. Elle avait emmené Milena avec elle. Un jour, Milena la chercha partout : elle ne la trouvait ni dans sa chambre ni dans les salons de l'hôtel. En désespoir de cause, l'enfant s'aventura dans le parc. Là, sous un buisson de cœurs-de-Marie en fleur, elle découvrit sa mère dans les bras d'un inconnu. A pas furtifs, Milena regagna sa chambre et n'avoua jamais à sa mère qu'elle avait surpris son infidélité. Mais depuis ce jour, elle prit les cœurs-de-Marie en grippe et cette répulsion lui resta jusqu'à l'âge adulte.

Sans doute l'un ou l'autre de ses amis se souvient encore aujourd'hui d'autres anecdotes concernant l'enfance de Milena. Mais tout souvenir venant de Milena elle-même ne peut que porter le sceau de la laideur, de la tristesse et de l'angoisse.

Curieusement, malgré ces incidents qui marquèrent son enfance, la jeune Milena échappa à la passivité, au repli sur soi-même. Ni la maladie maternelle ni le despotisme paternel n'ont obtenu d'elle cette soumission et cette absence de volonté que, chacun à sa manière, les deux parents travaillaient à obtenir. Milena connut bel et bien un temps d'apathie, mais seulement après avoir quitté la maison de son père. Pour le moment, elle réagissait à la pression par la contre-pression, à la force par la résistance.

Ses études primaires achevées, Milena fut inscrite au lycée Minerva. Cet établissement dispensait bien plus qu'une simple éducation scolaire.

Minerva, c'était tout un symbole. Ses élèves devaient former l'élite des femmes cultivées de la génération montante. Parallèlement, Minerva était une véritable pépinière de forces émancipatrices, ces forces dont Milena dira, bien des années plus tard, lorsque Ravensbrück l'aura privée de la plus élémentaire liberté humaine : « Le voilà donc, le fruit de toute cette émancipation par laquelle nous avons jadis fait tant de tapage et d'agitation! »

Au lycée Minerva, Milena fit la connaissance de nombreuses jeunes filles avec qui elle garda le contact jusqu'à l'âge adulte. Ses camarades partageaient ses intérêts et ses problèmes. Toutes étaient accablées par le joug d'une éducation familiale qui, le plus souvent, cherchait à les réduire à de simples poupées décoratives, piquées d'un brin d'instruction pour que l'effet soit meilleur. Qui plus est, Milena en était à l'âge où les amitiés se nouent d'autant plus facilement qu'elles répondent à un besoin. Ajoutons que son caractère impétueux s'enflammait facilement. Elle ne pouvait exister en dehors des relations humaines.

A l'époque, elle se prend d'admiration pour des élèves plus âgées qu'elle. Elle adore aussi et surtout les chanteurs, les acteurs et les actrices qu'elle poursuit de son enthousiasme, qu'elle bombarde de fleurs achetées avec son argent de poche, qu'elle couve de regards brûlants depuis sa place dans la salle. Elle assiste à tous leurs spectacles. Elle les guette à la sortie des artistes avec d'énormes bouquets.

Un beau jour, elle arrive enfin à atteindre une de ses grandes idoles, une diva portée aux nues non seulement par Milena, mais par l'école Minerva tout entière. Nous sommes au printemps, les marronniers sont en fleur, et les vieilles déplient au coin des rues leurs éventaires portant les premiers bouquets de nivéoles et de violettes anémiques. Milena en achète carrément toute une brassée –

elle ne saura jamais donner autrement qu'à pleines mains – et, résolue, elle se présente à la porte de la diva. L'accueil est bien plus chaleureux qu'elle n'osait l'espérer. L'actrice la fait entrer, une bonne en coiffe et en tablier d'opérette apporte du vin à l'eau de Seltz dans un précieux verre de cristal taillé et la maîtresse de céans, lui donnant du « mon petit », se met à lui raconter des anecdotes sur son métier et à la questionner sur sa propre vie et sur ses intérêts.

– Et avez-vous aussi une bonne amie, mon petit ?

Milena ose à peine ouvrir la bouche. Ce n'est pas qu'elle soit timide, mais l'admiration lui ôte pratiquement tous ses moyens. Elle répond en bégayant que oui, elle a une amie, puis retombe dans son mutisme, tout en lançant à son idole des regards chargés d'admiration.

– Elle est sûrement mignonnette, votre bonne amie, non ?

Milena acquiesce de la tête. Staša Procházková est jolie, il n'y a pas de doute là-dessus.

– Mais ses joues ne sont sûrement pas aussi fraîches que celles de ma petite amie que voici ?

Voilà notre Milena interloquée. Elle n'a pas l'impression d'avoir les joues particulièrement fraîches. D'ailleurs, c'est probablement le dernier de ses soucis...

– Vous le savez bien, mon petit, n'est-ce pas, que vous êtes jolie comme un cœur ?

La voix de l'actrice s'enroue légèrement, mais Milena est toujours à cent lieues de comprendre où elle veut en venir.

– Excusez-moi, madame, dit-elle en protestant. Vous vous moquez sans doute de moi ?

– Pas le moins du monde, mon petit, je vous assure. Je vous trouve vraiment adorable. Ne vous l'a-t-on jamais dit ? Même votre petite amie ne vous l'a pas glissé à l'oreille ?

L'atmosphère de la pièce s'épaissit. Milena finit par se rendre compte qu'il se passe quelque chose d'anormal. Elle commence à s'affoler. Elle n'ose quand même pas se lever pour fuir. Le respect continue de l'emporter sur la crainte. Littéralement, elle est paralysée. Elle demeure vissée à l'extrême bord de la chaise, tripotant nerveusement le bout de sa manche et ne sachant à quel saint se vouer.

Enfin, l'actrice se jette sur elle et tente de l'embrasser. Milena pousse un cri effarouché et prend ses jambes à son cou... Elle fuit, blessée dans son amour-propre, vexée de s'être laissée prendre à sa propre vanité, le souffle coupé de dégoût, d'écœurement, d'humiliation.

Lorsque Milena me raconta cette aventure, plus de trente années avaient passé. Pourtant je sentais encore brûler en elle les flammeroles de la haine qu'elle vouait à cette actrice lesbienne, depuis belle lurette morte et enterrée.

*

Atteinte d'une maladie grave, Mme Jesenská se mourait douloureusement, à petit feu. Les derniers mois de sa vie furent très éprouvants pour elle comme pour ses proches. Enfin, la mort frappa à la porte. Trois personnes se tenaient au chevet de l'agonisante : Milena, son père et son médecin. Chacun des trois savait que ce n'était plus qu'une affaire de minutes.

Mais on doit prolonger la vie humaine jusqu'à la dernière seconde, c'est une loi que s'impose tout médecin. La malade avait perdu connaissance. Le médecin voulut lui administrer une dernière piqûre pour la ramener une fois encore à la vie. Son devoir était clair, il le lui ordonnait. Milena arracha la seringue de la main du docteur. Elle la jeta à terre si violemment que des éclats volèrent dans

34

toute la pièce. Elle ne pouvait supporter que cette souffrance se prolongeât, ne fût-ce que d'une minute... Les autres non plus d'ailleurs. Ni le médecin ni son père, n'ont arrêté son geste.

La fin arriva. Milena, horrifiée, se rendit compte qu'elle n'était plus capable d'éprouver qu'une seule chose : un sentiment de soulagement. Toutes les autres émotions avaient été pour longtemps oblitérées par la maladie de sa mère, la fatigue, les soins à prodiguer à la malade, les interminables nuits de veille.

Mme Jesenská mourut en 1914, un an avant le baccalauréat de sa fille. Mais encore à Ravensbrück, la veille de sa propre mort, Milena refaisait son propre lit et celui des malades de l'infirmerie, comme elle avait appris à le faire dans sa jeunesse, trente ans plus tôt, quand il lui fallait plusieurs fois par jour retourner le corps endolori de sa mère à laquelle chaque pli du drap infligeait une nouvelle plaie vive. La mémoire est décidément une chose curieuse...

Après le baccalauréat, le docteur Jesenský inscrit tout naturellement sa fille en médecine. À défaut d'un fils, il revient à Milena de perpétuer la tradition familiale. Pas de chance, Milena n'est vraiment pas faite pour la médecine. Elle offre même dans ce domaine l'exemple d'une inaptitude rare. L'odeur fétide du sang lui est insupportable. Elle ne supporte pas non plus la vue des cadavres lors des leçons d'anatomie. Et je crois bien qu'elle supporte encore moins les malades. Un blessé entrevu à la clinique paternelle hante sa mémoire. La guerre a éclaté. Le docteur Jesenský ne se borne plus désormais à obturer les caries et à refaire un sourire aux beautés vieillissantes. Son temps est trop précieux pour cela. Certains blessés de guerre relèvent de sa pratique. Un jour, on lui apporte un jeune soldat à la mâchoire inférieure emportée. Le garçon ne peut plus parler. Le seul mot qu'il ait appris à prononcer, c'est « mal ». Ce mot unique, il l'articule indistinctement, avec un « a » qui n'en finit plus, « ma-a-a-a-l ». C'est assez clair néanmoins pour que la signification ne fasse aucun doute. Milena a entr'aperçu ce jeune soldat à la clinique. Il ne quittera plus sa mémoire, pas plus que cet unique mot : « ma-a-a-a-l ».

Pleine de compassion, impatiente, hypersensible, Milena médecin aurait fait plus de mal que de bien. Lorsqu'elle tombe raide comme une bûche au moment de sa première autopsie obligatoire, son père se rend à l'évidence : il annule son inscription.

A cette date, son premier amour est déjà derrière Milena. Un amour à peine sorti de l'enfance. Un amour qui finit d'ailleurs d'une façon aussi enfantine qu'il a commencé. Je ne sais pendant combien de temps Milena a fréquenté Jiří Foustka, lorsqu'un beau jour ils décident d'aller faire une promenade au cimetière. C'est le soir. Les tombes sont éclairées par la lueur des bougies. Un parfum de brouillard automnal et de feuilles pourrissantes flotte dans l'air. Débordant d'émotion devant ce cadre romantique et le sentiment de sa propre maturité, Milena s'enhardit jusqu'à déclarer son amour :

« Je t'aime » *(Já tě miluju)*, dit-elle extasiée à son compagnon, oubliant que le garçon qui se trouve à ses côtés n'est autre que le fils du linguiste Břetislav Foustka. La désinvolture avec laquelle Milena traite sa langue maternelle écorche les oreilles de son amoureux et l'indigne plus encore que l'audace de sa déclaration.

« Tu sais bien qu'on ne dit pas " *miluju* ", ma petite Milena, mais " *miluji* "[1] », la reprend-il d'un ton agacé.

---

1. *Miluju miluji :* Milena utilise la forme parlée du verbe aimer au lieu de la forme écrite, « littéraire » : *miluji*.

J'ignore pendant combien de temps ils restèrent sans se revoir après cette scène. De toute manière, c'en était fait de leur amour, et Milena ne m'a jamais raconté quand et comment ils se sont retrouvés par la suite. Je ne le lui ai d'ailleurs jamais demandé, sans doute parce que je ne me doutais pas alors combien il est difficile de reprendre contact avec quelqu'un dont on s'est éloigné.

Mais lorsque je naquis, ou plus exactement lorsque je commençai à grandir en sagesse et surtout à souffrir des dents, c'est chez lui que nous allions nous faire soigner, Milena et moi. C'était le seul dentiste dont elle n'avait pas peur, et elle prenait plus de précautions pour dissimuler ces visites à mon grand-père qu'elle n'en aurait pris pour tromper un mari jaloux.

*

A la mort de sa mère, Milena resta seule avec son père. Désormais, le docteur assumait entièrement l'éducation de sa fille. L'un et l'autre réussirent d'un parfait accord à gâcher tout ce qui dans leurs rapports pouvait être gâché. Il est cependant un domaine où ils échouèrent : ils ne parvinrent jamais à détruire l'amour qu'ils se portaient mutuellement. Le docteur Jesenský ne fut pas pour sa fille seulement l'épouvantail de ses peurs enfantines. Il parvint à lui inspirer une terreur si durable que Milena en tremblait encore vers la fin de sa vie. Quant au docteur, sa fille fut pour lui jusqu'à ses derniers jours une source de tourments sans cesse renouvelés. C'est en vain que ce joueur invétéré, ce mari volage, cet amant infidèle s'obstina à vouloir inculquer à sa fille une honnêteté et un esprit de stricte économie. Milena jetait par les fenêtres tout ce qu'elle avait et elle ne se bornait pas à puiser dans ses fonds propres... Le « vieux monsieur » ne tenait pas du tout à se demander

pourquoi l'éducation de sa fille donnait de si piè-
tres résultats. Plutôt que de se casser la tête, il
préférait lui administrer une bonne dérouillée, la
traiter d'enfant criminelle ruinant tout à la fois les
nerfs et la bonne réputation de son pauvre père. Le
fait est que Milena ruinait l'un et l'autre en parfaite
bonne conscience. Elle délestait aussi son père
d'autres richesses, souvent d'une façon absolument étrangère aux us et coutumes des honnêtes
citoyens, et sans doute aussi d'une légalité plus que
douteuse.

Les premières aventures de ce style frisent le
grotesque. Je les tiens, comme le reste, de la
bouche même de Milena qui n'hésitait pas, malgré
ma jeunesse – je n'avais alors qu'une dizaine
d'années –, à me les raconter.

Pour Milena, les armoires et les lingères de son
père, pleines à craquer, constituaient une provocation permanente. Ses amis à elle étaient plus que
démunis en linge et en vêtements. Ils auraient
cependant été loin de partager sa conception pour
le moins floue de la propriété privée, cela, elle s'en
doutait bien. Elle les approvisionnait donc en linge
et en chaussettes soutirées aux réserves de son
père, sans leur en indiquer la provenance. Et eux
les arboraient en parfaite bonne foi. Ils ne se
doutaient pas qu'ils s'exposaient à être accusés de
complicité de vol.

Un beau jour, il arriva que le docteur reconnut
ses propres socquettes aux pieds de l'un de ses
assistants (ou d'un élève, vraiment, je ne me souviens plus). Elles étaient ornées d'un motif original,
très dandy, quasiment introuvable, on le devine,
dans la Prague de l'époque. A tant faire que de
distribuer, Milena prenait ce qu'elle trouvait de
meilleur; en ces cas, elle était généreuse...

Avant tout, le vieux monsieur avait pour principe de ne pas sortir de ses gonds. Le flegme faisait

partie de sa conception du parfait dandy. Il avait aussi un certain sens de l'humour. Lorsqu'il se fut assuré que les chaussettes provenaient bel et bien de ses propres tiroirs, il comprit sans grand mal quel chemin elles avaient emprunté.

« Cher collègue, dit-il à son assistant, j'ignore ce qu'il y a entre vous et ma fille, car personne n'a jugé utile de m'en informer. Quoi qu'il en soit, je vous saurais gré d'entretenir avec mes socquettes des rapports aussi discrets que ceux que vous entretenez avec ma fille. » Il parlait sans aménité, mais en évitant de hausser le ton. Les cris, il les gardait pour la maison, pour Milena.

Au reste, le vieux monsieur ne se bornait pas à accumuler des piles de linge dans ses commodes et les costumes dans ses penderies. L'un des tiroirs de son vaste secrétaire était rempli de pièces d'or. Ces pièces étaient comptées. Il prit soin d'en informer sa fille.

« Je sais exactement combien il y en a. J'espère que nous nous comprenons. » Ils ne se comprenaient pas. Milena fit en sorte que le compte restât le même, mais elle substitua à toutes les pièces de vingt couronnes des pièces qui valaient moitié moins. Elle avait tant de dépenses, tant d'amis qu'un cadeau pouvait dérider ou qu'il fallait gratifier de ce dont dépendait, selon elle ou selon eux, leur bonheur...

C'était pendant la guerre. La maison du docteur Jesenský était l'une des rares à disposer d'un garde-manger bien garni et de réserves, non seulement de nourriture, mais d'autres denrées, tellement rares alors. Le docteur avait fait provision de caisses de savon, de boîtes de cirage. Tout était à l'avenant. Ces stocks allaient lui suffire pour toute la durée de la guerre et jusqu'aux premières années de paix. Peut-être était-ce par réaction à sa misère passée qu'il faisait d'aussi substantielles réserves. Peut-être était-ce purement et simplement par peur de manquer. Toujours est-il qu'il n'y eut chez lui aucune pénurie. Chez les autres, elle sévissait. Alors Milena emportait sous ses jupes des sachets de farine et des pains de savon qu'elle partageait entre ses amis. Elle avait garde, comme toujours, d'en préciser la provenance. La catastrophe éclata cependant le jour où l'un de ces amis, croisant son bienfaiteur dans la rue et persuadé que les provisions étaient distribuées avec sa bénédiction, se confondit en remerciements. Une fois de plus, le père de Milena s'emporta – mais cette fois-là, elle ressentit sa colère comme une injustice. Elle ne lui pardonna jamais son avarice de hamster se cramponnant à ses réserves.

Elle prenait et distribuait avec la même souveraineté. Elle n'avait jamais eu de problèmes pour se procurer de l'argent et elle ne réfléchissait jamais à deux fois sur la manière de le dépenser. Ce trait, elle le conserva jusqu'à sa mort. Comme elle conserva la plupart des autres qualités acquises ou (si elles étaient innées) simplement cultivées durant ces années-là.

*

La rencontre avec Ernst Polak marque brutalement l'aboutissement de ces années de maturation. Les deux protagonistes font connaissance au café Arco, lieu de rencontre pour tous ceux qui écrivent, aspirent à écrire ou tout au moins à rencontrer des écrivains. La gent littéraire a toujours été bien représentée en Bohême, il n'y a donc là rien de bien curieux en soi. Mais le groupe qui se retrouve ici est très particulier : il n'a pas son pareil à l'époque, ni chez nous ni – pour autant que je sache – à l'étranger. Il s'agit d'hommes de lettres d'origine juive, de nationalité tchèque, et d'expression allemande.

Milena ne se doute probablement pas encore

40

qu'elle-même choisira un jour le métier d'écrivain. Elle n'imagine pas que le temps viendra où elle aussi – tout comme eux – s'attablera dans un café, une feuille de papier devant elle pour aligner des idées. Pour le moment, elle se contente de s'asseoir à leur table. Elle les écoute parler. Elle lit les ouvrages dont ils débattent, réfléchit aux problèmes qu'ils s'attachent à résoudre. Et eux se trouvent à mille lieues de tout ce qui est du domaine local, du fait de leur niveau intellectuel, mais aussi de par leur origine et leur statut social.

Ernst Polak appartient à ce groupe. Sa parole y pèse lourd. Bien qu'il n'écrive pas lui-même, ou peut-être justement parce qu'il n'écrit pas, il jouit de l'estime et du respect général. Ses jugements s'imposent. Ses opinions font autorité même pour ses contradicteurs.

Et voilà qu'Ernst s'intéresse à Milena. Il n'a d'yeux que pour elle. Dès qu'elle apparaît, il s'anime, il devient agréable, sociable, amical. Il l'écoute avec le sérieux qu'il accorderait à une personne aux opinions mûrement réfléchies et impeccables. Il fait tout ce qu'il peut pour la séduire. Et il peut beaucoup. Milena n'oppose guère de résistance. L'admiration que lui porte Polak et sa propre admiration pour lui l'émerveillent. Elle est flattée qu'il s'intéresse à elle. Elle est séduite par l'attention qu'il prête à ses propos et par son propre enthousiasme devant les opinions que lui-même énonce. Bref, l'amour éclate entre eux. Un grand amour, un amour immense et réciproque, pour le moment du moins.

Pendant ce temps-là, à la maison il y a le père. Chauvin jusqu'à la moelle des os et antisémite de surcroît, le père de Milena considère tout Allemand comme un ennemi. Le mot « juif » est pour lui une insulte. La liaison de sa fille avec Ernst Polak, une véritable catastrophe.

A ce point de l'histoire, il serait facile d'excuser

l'acharnement de Milena à désobéir par tout ce qu'elle a dû encaisser jusque-là. D'expliquer son peu d'enthousiasme à respecter les positions paternelles – voire à mesurer simplement la blessure qu'elle inflige à son père en aimant Ernst – par les traitements qu'il lui a fait subir dans sa jeunesse. Ou même de justifier sa liaison avec Ernst carrément par son refus du despotisme d'un père qui a toujours érigé sa volonté personnelle en loi absolue.

Comme il arrive souvent dans ce genre d'aventures, la vérité est beaucoup plus simple. Son père a tout bonnement cessé d'intéresser Milena. Amoureuse d'Ernst, elle ne fait plus cas des sentiments du docteur : sa sensibilité patriotique, son chauvinisme finement aiguisé, lui apparaissent comme autant d'obstacles à ses propres rencontres avec son bien-aimé. Jusque-là, l'antisémitisme ne lui a guère posé de problèmes. Désormais, il représente un danger car il contrarie ses rapports avec Ernst. Et son père devient un ennemi avant tout : elle l'accuse sur le tard de manquer d'amour et de compréhension.

Ernst occupe toutes ses pensées, tout son temps. Elle l'inonde d'un amour fantastique, débordant, passionné. Il en étouffe quasiment. Elle veut tout partager avec lui. Il doit tout partager avec elle. Du moment qu'elle aime voir le lever du soleil, il faut qu'Ernst partage aussi cette joie. Que, pour ce pilier de café, se lever avant l'aube soit un véritable martyre, peu importe à Milena. La nature représente pour lui une des plaies envoyées par Yahvé ? Elle n'en a cure. Les voilà qui gravissent la colline d'où ils contempleront ensemble l'apparition de la boule rouge au-dessus de l'horizon. Ernst se traîne aux côtés de Milena, bâillant d'ennui. Asthmatique et rageur, il l'accompagne sur le sentier abrupt qui conduit tout en haut et marmonne des phrases incendiaires contre les demoiselles survoltées dont

42

le crâne est bourré des insanités de Minerva et de la littérature d'éveil national.

Mais Milena est amoureuse et elle pardonne à Ernst ce qu'elle ne pardonnerait à personne d'autre. Elle pardonne, mais elle reste incapable de se plier à une volonté autre que la sienne.

Déjà à cette époque, elle possède la clef de la chambre d'Ernst. Un jour, purement et simplement, elle pillera le parc de Stromovka pour faire de l'austère habitat d'Ernst une véritable boutique de fleuriste. Elle quitte les lieux, persuadée que l'émerveillement d'Ernst à son retour ne connaîtra plus de bornes. Elle bout d'impatience. Quand elle suppose Ernst enfin rentré, elle lui téléphone, lui demandant d'une voix tremblante comment il trouve les fleurs dont elle lui a fait cadeau.

« Je n'ai même pas remarqué qu'il y eût des fleurs, ma petite Milena. Il ne faut pas m'en vouloir, j'étais tellement perdu dans mes pensées... »

C'est peut-être la vérité. Peut-être est-ce seulement une tentative de se libérer de cette sollicitude étouffante, fantastique, excessive. Difficile de savoir aujourd'hui. Et Milena pardonne encore.

La situation touche à son paroxysme lorsque Milena tombe enceinte. En 1937, elle m'en parlera encore, un brin nostalgique. Elle m'interroge : « Tu aimerais avoir aujourd'hui un frère de vingt ans ? » Je ne voulais pas de frère. J'avais dix ans et je ne pouvais pas me figurer comment un frère trouverait sa place chez nous, dans cette famille si peu ordinaire déjà. Il est vrai que c'était aussi l'époque où voisins et voisines me demandaient avec des sourires entendus comment il se faisait que ma maman s'appelle Jesenská, mon papa Klinger et moi Krejcarová. Je ne voyais pas pourquoi j'aurais tenu à ce qu'on me demande de surcroît pourquoi mon frère s'appelait Polak.

Milena enceinte parvient à se tirer d'affaire. Je

43

ne sais à qui elle fait appel : à une faiseuse d'anges? à un vrai médecin? J'ignore même à quel moment son père est intervenu. De toute manière, il a été au courant de l'avortement. Il a même été témoin des dernières phases de l'affaire. Assis auprès de sa fille, il lui tenait la main et il lui racontait l'interminable conte du berger qui traverse une passerelle, suivi du premier mouton, puis du deuxième... Le conte est sans fin car la passerelle est étroite et le troupeau indénombrable. Une dose de morphine aidant, la douceur et le calme de la voix paternelle ont fini par bercer Milena. Elle s'endormit enfin, épuisée par l'avortement et l'hémorragie.

Mais lorsque Milena a récupéré et que son désir d'Ernst lui revient en même temps que ses forces, le docteur Jesenský en a plus qu'assez. On peut le comprendre, il en a eu sa part : l'affaire des fausses reconnaissances de dettes qu'il a eu le plus grand mal à étouffer; la réprobation horrifiée de ses collègues et de la bonne société pragoise à la vue de sa fille s'affichant au bras d'un Juif; les escapades secrètes de Milena, diùrnes, mais aussi nocturnes; jusqu'à sa tentative de suicide, avec de la morphine volée dans son propre cabinet! Tout cela, il l'a enduré – non sans mal et à contrecœur. Ce à quoi il ne peut se résigner, c'est que le sang précieux des Jesenský, ce sang dont il fait tant de cas, soit pollué par un descendant demi-juif. Et, Milena à la maison, libre d'aller et de venir, il ne fait aucun doute que cette menace peut à tout moment devenir réalité.

En juin 1917, en vertu de son autorité paternelle et médicale, il la conduit à Veleslavín, dans une clinique pour malades mentaux.

Il prend cette décision sans le moindre scrupule. Non seulement il est convaincu que sa fille, dans son propre intérêt, doit être protégée contre ce Juif fou qui se l'est presque attachée à jamais par son amour libidineux. Mais il est persuadé aussi que le voilà frappé du pire malheur qui pouvait encore lui arriver : sa fille est tout bonnement folle. Car il a beau essayer, il ne peut trouver d'autre explication à la conduite de Milena.

Déjà Milena se sentait prisonnière dans la maison paternelle. Mais elle parvenait à prendre le large. Son père était trop occupé pour être à même de veiller sur les moindres déplacements de sa fille. Ce qu'il savait sûrement, c'est que le moindre de ses pas allait à l'encontre de ses ordres, mais il n'y pouvait rien.

A Veleslavín, la situation se corse. Milena mit un certain temps à redécouvrir le chemin de la liberté. Enfin, elle gagna le cœur d'une infirmière. Celle-ci, émue par le désespoir de la jeune fille et par son propre romantisme, prêta à Milena la clef du portillon du parc. Ainsi lui fut-il permis de retrouver Ernst.

Pendant tout ce temps, les Minervistes[1] veillaient sur la moralité de notre amoureux. Elles suivaient le moindre de ses pas. L'histoire de cet amour excitait tous leurs fantasmes. Elles croisaient les doigts pour Milena. Elles étaient bien décidées à lui conserver un Ersnt fidèle jusqu'à son retour. Y sont-elles parvenues ? C'est douteux. Plus tard, lorsqu'elle connaîtra Ernst de plus près, Milena ne le croira pas non plus. De toute façon, leur manège parvint à ruiner la réputation d'Ernst dans tout le quartier. Surveillé par ces vestales émancipées, le malheureux se vit traiter de tombeur, de débauché et de coureur de putes, changeant de femme comme de chemise. Car les Minervistes dévouées se relayaient dans leur tâche...

A peine eut-elle franchi le portillon du parc, que Milena se précipita tout droit chez Ernst, comme si elle avait le feu au derrière. Et leur liaison recom-

---

1. Minerviste : ex-élève de Minerva, terme consacré.

mença de plus belle. Avant même que le vieux monsieur n'en soit informé, les amants ont réussi à réveiller la rumeur endormie, à monter contre eux l'opinion de toutes les bonnes familles de Prague. Lorsque Milena sort de Veleslavín en mars 1918, que peut-elle perdre encore? C'est l'année de sa majorité. Son père ne pourrait l'empêcher de se marier qu'en la faisant déchoir de ses droits pour un certain temps et il ne veut quand même pas en arriver là. Non tant par égard pour sa fille, d'ailleurs. Mais surtout, je crois, parce qu'il veut échapper aux petites phrases du genre : « Pauvre Milena, alors, il est bien vrai qu'elle est folle? Ne vous en faites pas, monsieur le docteur, ça s'arrangera peut-être avec le temps. »

Mon grand-père sait bien que cela ne s'arrangera ni avec le temps ni avec rien d'autre. Il finit donc par consentir aux fiançailles. Tout en posant des conditions draconiennes. D'abord, les jeunes mariés partiront sitôt la cérémonie achevée pour s'installer à Vienne; ils cesseront ainsi d'être un sujet de honte pour lui à Prague. De plus, ils ne se verront jusqu'au mariage qu'en présence de sa sœur. Interdiction leur est faite de se rencontrer en secret. S'il apprenait qu'ils ont enfreint cette condition, il déshériterait sa fille aussitôt, il la priverait de son trousseau et, naturellement, elle n'aurait rien à espérer en fait de dot.

Milena éprouve un certain soulagement : elle est tout de même parvenue à une sorte de réconciliation avec son père. De plus, elle ne sera pas tout à fait sans ressources après son mariage, et cela aussi pèse dans la balance. Elle se soumet donc. Pendant les trois mois précédant le mariage, ma mère ne rencontrera Ernst que chez la sœur de son père, Mařena Foestrová.

Ma grand-tante Mařena a vécu assez longtemps pour que je puisse la connaître. C'était une vieille dame merveilleuse qui ne ressemblait presque en rien à son frère et qui ne partageait pas surtout ses opinions réactionnaires.

Elle avait épousé le frère du musicien J.B. Foestr, lui-même mosaïste. Il mourut prématurément, laissant dans son atelier une œuvre inachevée. Un peu par pitié, un peu pour oublier son chagrin. Mařena s'installa à sa table et termina la mosaïque. Elle en fit une seconde, puis une troisième. A l'époque où je l'ai connue, elle créait des mosaïques pour la cathédrale Saint-Guy et la basilique Saint-Georges de Prague, sur des motifs de Karel Svolinský. Dans leurs exemplaires les mieux réussis, les Jesenský se caractérisaient par une grande opiniâtreté. On disait aussi de ma grand-tante qu'elle avait failli entrer au parti communiste. C'était donc une tante parfaite à tous points de vue et, qui plus est, progressiste.

Malgré toutes ses qualités, Mařena craignait son frère et remplissait consciencieusement son rôle de chaperon. Deux fois par semaine, elle préparait du thé et des petits gâteaux à l'anis, puis s'asseyait avec les fiancés à sa table de salon. Elle les installait chacun d'un côté, Ernst à sa droite, Milena à sa gauche. Ils avaient beau lancer des regards expressifs tantôt dans sa direction, tantôt l'un vers l'autre, elle restait de marbre, ne les laissant seuls que le temps qu'elle jugeait nécessaire pour un unique baiser de fiancés.

Milena était dans tous ses états, Ernst sans doute aussi, mais il n'y avait rien à faire : tante Mařena était gentille, aimable, douce et tout à fait intraitable. Ainsi donc, après toutes ces péripéties, après l'avortement et plusieurs années de liaison, les amants en étaient réduits à vivre dans cette pièce donnant sur le mont Petřín, dans la rue Hradčanská, une idylle à l'ancienne que rien ne pouvait dévier de sa course.

Après le mariage et selon le vœu du docteur, le couple partit bel et bien pour Vienne. Les débuts s'annonçaient prometteurs. Milena emportait un trousseau substantiel et ne partait pas les mains vides. Mais cette sécurité fut de courte durée. Ernst avait ses exigences, ses amis de même, et Milena, généreuse, distribuait à pleines mains. Elle dépensait pour elle-même et pour son entourage avec la même insouciance et, lorsque l'argent vint à manquer, on mit le trousseau en gage.

Ernst était à peu près indifférent aux soucis du ménage. Il passait le plus clair de son temps au café. Il n'avait, à vrai dire, aucun besoin, et il considérait ce dont Milena le comblait comme le résultat de ses caprices, de ses tocades et pas du tout comme du nécessaire. Ce qui lui était nécessaire, à lui, c'étaient ses amis viennois : Franz Werfel, arrivé à Vienne peu avant le couple, et bien d'autres intellectuels qui vivaient là ou qui, installés après eux, faisaient partie de sa vie.

Pour Milena, il en allait tout autrement. Elle ne s'est jamais habituée à la vie viennoise. Non qu'elle détestât Vienne, mais elle ne s'y sentait pas chez elle. Ernst était juif. Il s'accommodait facilement des changements de décor. Il s'était acclimaté ici et là au fil des générations. Pendant de longues années, sa famille n'avait pas eu de véritable patrie. Pour Milena, c'était le contraire. A Vienne, elle n'était pas chez elle. Elle s'y sentait mal à l'aise.

Un beau jour, l'évidence s'imposa : il fallait coûte que coûte trouver de l'argent pour faire vivre la famille. Milena se mit donc à enseigner le tchèque dans les écoles ou en cours particuliers. Elle retrouvait ses élèves de bonne famille dans leurs chambres art nouveau et elle les éblouissait, comme elle éblouissait presque tout le monde, par son humour irrésistible et surtout par sa manière de les traiter. Elle refusait de se poser en autorité. Contrairement aux autres professeurs, elle n'exigeait pas une obéissance aveugle. Ses classes ne ressemblaient en rien à des leçons ordinaires. Pendant les heures de tchèque, les élèves s'asseyaient sur les bancs ou autour de l'estrade et bavardaient avec leur maîtresse, tranquillement perchée sur le bureau. On discutait de tout et de rien, sans même s'apercevoir qu'on faisait un effort.

Les jeunes filles étaient ravies, Mme Milena émancipée. Tout le monde s'aimait. Cela était bel et bon. Ce qui l'était moins, c'est que les demoiselles avaient l'estomac plein tandis que celui de Mme Milena criait famine. Le plus bel enthousiasme, la meilleure amitié des élèves n'y changeait rien.

Finalement, en plus des leçons qu'elle donnait, Milena se mit à faire le porteur dans les gares.

Ernst n'avait pas imaginé ainsi sa vie d'homme marié. Milena était éreintée. Elle n'avait plus le temps de le couvrir d'admiration comme par le passé. Par-dessus le marché, il était entouré d'une foule de femmes bien mieux habillées que la sienne, fraîches, ravissantes. Il en appela donc et à sa propre philosophie et à l'émancipation de Milena : il revendiqua la liberté pour ses infidélités physiques. Milena accepta, partie parce qu'elle aimait toujours son mari plus que de raison, partie parce que cela lui semblait la seule voie digne d'une femme moderne. Voilà donc qu'Ernst installe dans leur appartement sa maîtresse, Mitzi Beer, une femme d'une intelligence limitée mais d'une grande beauté et d'une élégance dernier cri. Ménage à trois, sous le même toit.

Frivole et sotte, Mitzi convient tout à fait à

Ernst. Elle lui donne moins de soucis que Milena. Elle n'a certes rien d'une lumière, mais en contrepartie sa présence ne pèse pas. Pour tout avouer, Ernst n'a jamais tenu à faire de ses affaires de lit un problème philosophique. Pour la philosophie, il y a les cafés, les amis. Et une femme stupide est tellement plus facile à vivre qu'une femme intelligente !

Cependant Milena sombre dans un abîme d'où elle ne voit même plus comment sortir. Elle est la proie d'une jalousie aussi cruelle que désespérée, mais elle ne veut pour rien au monde se montrer sous ce jour. N'a-t-elle pas elle-même accepté cette infidélité, en femme généreuse et émancipée qu'elle est ? Son abattement s'aggrave de jour en jour. Sa misère intérieure tourne à la déréliction, sa solitude au sentiment d'isolement total, sa douleur, en horreur obtuse.

C'est de cette souffrance accumulée, de cette misère matérielle et de cette absence totale de soutien que naîtra un beau jour le premier essai littéraire de Milena.

Ce sont tout juste quelques menues traductions, deux ou trois chroniques, que Milena envoie à Staša Jílovská pour le journal *Tribuna* (*La Tribune*). Elle attend la réponse : depuis longtemps elle n'a pas éprouvé pareille tension. C'est un mélange de peur et d'espoir. Elle n'en a pas parlé à Ernst – par précaution. Si on allait lui renvoyer ses articles ? Lui répondre qu'ils ne conviennent pas, qu'ils sont minables, qu'elle ferait mieux de changer son fusil d'épaule ?...

D'ailleurs, elle-même ne les trouve pas bons. Elle n'a pas réussi à traduire comme elle voulait et surtout, ses propres articles lui paraissent naïfs et sentimentaux.

La réponse tarde à venir. Milena continue d'enseigner, de porter les valises et de se disputer avec Ernst – rien n'a changé dans sa vie quotidienne. Enfin, voilà la lettre de Prague! Les articles sont acceptés, il en faut d'autres. Les traductions aussi seront publiées. Milena ne s'est jamais sentie si fière. Ce premier argent gagné grâce à sa plume et son nom imprimé noir sur blanc la remplissent d'un orgueil tout neuf. A peine a-t-elle le numéro de *Tribuna* en main, qu'elle se hâte de l'envoyer à son père. Il ne répond pas. Mais Milena sait qu'il est content d'elle. Elle en est sûre, elle n'a pas besoin d'en recevoir la confirmation.

Bien entendu, elle continue à donner des leçons. Elle porte toujours des valises. Elle ne peut encore se permettre de renoncer à une de ces rentrées d'argent. Ces quelques articles parus dans *Tribuna* marquent néanmoins le début de sa carrière littéraire. C'est grâce à eux qu'elle obtient enfin son statut d'adulte. Sa personnalité et son caractère acquièrent leur forme définitive. Tout ce qui viendra ultérieurement sera plus ou moins lié avec ces années d'avant son premier essai littéraire. Ce n'est pas non plus par hasard qu'elle commence par écrire un article de journal et non un poème ou une nouvelle.

Milena a choisi sa profession en toute lucidité, avec une certitude absolue. C'est d'une main sûre, sans hésiter, qu'elle a tiré le bon numéro. A tous points de vue, le journalisme lui allait comme un gant : le contact direct avec son lecteur lui était aussi nécessaire que l'engagement dans la vie politique du moment. De plus elle n'eut jamais assez de souffle pour se lancer dans un long travail d'écriture. Dans un espace réduit, au contraire, elle donnait le meilleur d'elle-même.

Ce fut donc à Vienne que Milena s'installa dans le métier auquel elle demeura fidèle toute sa vie. Le métier qui l'amena à rencontrer Kafka. Qui,

pendant des années, contribua à modeler son devenir. Qui, enfin, la conduisit à la mort. Le journalisme était fait pour Milena et Milena était faite
pour le journalisme. Elle ne pouvait pas choisir
d'autre profession...

III

> « Nul ne chante plus purement
> que ceux qui sont au plus pro-
> fond de l'enfer; ce que nous pre-
> nons pour le chant des anges,
> c'est le leur. »
>
> Franz KAFKA,
> *Lettres à Milena*[1].

Milena Jesenská :
Au café
Le besoin qu'ont les hommes de se retrouver, de
disposer d'un endroit neutre pour s'entretenir, est
vieux comme le monde. De tout temps, les solitaires furent considérés comme des excentriques. Ils
sont et resteront à jamais des excentriques. D'ailleurs, le besoin de solitude et le besoin de compagnie ne s'excluent peut-être pas totalement. Il
existe semble-t-il des gens qui ne peuvent penser
ou faire un travail intellectuel qu'au cœur de
l'agitation, du tintamarre, des décors sans cesse
renouvelés d'une rue populeuse. Ils marchent,
seuls avec leurs idées, dans la foule la plus dense.
Il est des personnes qui s'assoient chaque jour en
compagnie de leurs semblables et discutent avec
eux sans jamais rien révéler d'eux-mêmes ni de
leur vie privée : ce sont les ermites de la société. Il
en est d'autres qui peuvent se poster mélancoli-

1. Franz Kafka, *op. cit.*, pp. 227-228.

quement au coin d'une rue et observer des heures durant le défilé des passants. D'autres encore passent des heures attablés la nuit dans un café sans lier connaissance, sans aller jusqu'au bout d'une phrase commencée. Des solitaires, il en est de toutes sortes – mais aujourd'hui, ce ne sont pas eux qui m'intéressent. Je veux simplement souligner que les solitaires eux-mêmes ont besoin d'être en compagnie. S'ils n'ont pas le besoin d'être au cœur de celle-ci, ils ont du moins celui de rester à sa périphérie, ou même de l'avoir simplement sous les yeux.

Jadis les hommes se rencontraient au forum, ils se retrouvaient dans les monastères, se fréquentaient dans les salons. De nos jours, plus de forums, plus de monastères où l'on se réunisse, plus de salons où règne cette sociabilité. De nos jours, nous avons les cafés. Je ne songe pas à ces respectables salons de thé où l'on va consommer du chocolat avec quelques gâteaux, où les mamans emmènent leur fifille l'après-midi. Je ne pense pas non plus à ces établissements qui, fatigués le jour, grisâtres et endormis, s'éveillent le soir aux sons d'un orchestre, tandis que se montrent certaines jeunes femmes peinturlurées et certains « aventuriers de la vie », et que leur fronton s'éclaire d'une lampe rouge. Je pense à ces cafés résolument « littéraires », à ces cafés que toute la ville connaît comme lieux de rassemblement du monde intellectuel et bohème. L'Union à Prague, le Central à Vienne, le Des Westens à Berlin ou le Montmartre (sic) à Paris. Ces cafés ont leur vie propre, leur existence incompréhensible pour qui ne l'a pénétrée jusqu'à ses tréfonds, pour qui n'en a pas respiré l'air à pleins poumons.

Parmi la clientèle, les célébrités viennent en premier. Ceux dont le nom est officiellement connu font la gloire du café; leurs portraits ou

54

leurs caricatures ornent les murs de la salle. Ceux qui, sitôt arrivés s'attablent en capitalistes de l'intellect et n'autorisent que de rares élus à partager leur table. Ces pontes sont d'ailleurs des hôtes rares. C'est étrange : dès qu'un homme est installé financièrement, socialement ou intellectuellement, dès qu'il s'ancre assez fort pour qu'on puisse imaginer qu'il restera ancré à la même place jusqu'à la fin de ses jours, alors la bohème lui apparaît soudain presque méprisable. Bien qu'il en soit lui-même issu, bien qu'il y ait passé au moins une partie de sa vie, cette vie lui semble tout à coup manquer de dignité – voilà le mot. Bref, il se range. Le distinguo qu'on fait habituellement entre le citoyen paisible d'un côté et le révolutionnaire de l'autre s'avère plutôt contestable. Vient un moment où le révolutionnaire lui-même se range. (La contestation et le conformisme ne sont-ils pas d'ailleurs des concepts purement intellectuels et moraux?) Même si le contestataire reste inscrit toute sa vie dans un parti extrémiste, ou même s'il écrit pour des journaux extrémistes, sa vie et son âme deviennent celles d'un bon citoyen. Plutôt que de classer les gens en contestataires et en bons citoyens, mieux vaudrait admettre que chaque vie comporte deux phases : une période révolutionnaire et une période civique, l'une et l'autre bien entendu indépendantes de l'âge. Tout homme est révolutionnaire tant qu'il est le pionnier d'une idée neuve, tant qu'il véhicule une pensée originale, une trouvaille. Mais dès lors que sa créativité se limite à développer cette pensée (car tout homme véritablement grand ne poursuit jamais qu'une seule pensée, ceux qui en ont plusieurs n'en ont aucune, du moins aucune qui leur soit personnelle), dès lors donc qu'il va sur sa lancée et que son seul mouvement consiste au mieux à en parfaire la forme, il est clair qu'il devient alors un honnête citoyen. Il cesse d'être un pionnier; il n'est plus qu'un propriétaire qui épargne, qui amasse, qui s'engraisse. Car on peut aussi devenir un obèse de l'esprit.

Voilà donc ces hôtes rares, ces hôtes d'honneur du café et de ses tables, hôtes d'honneur, certes, mais enfants prodigues tout autant. Tous possèdent leur villa de banlieue. Ils ont un éditeur à leur dévotion, une salle de conférence à leur disposition, leur place réservée à la une du plus grand quotidien du pays. Ils ont vers où aller et le refuge du café ne leur est pas indispensable.

Ceux qui composent la substance même du café, son atmosphère particulière, ce sont les journalistes : leur cohorte écrit dans toutes sortes de magazines, soit ultra-célèbres, soit moins célèbres, soit carrément obscurs. C'est la foule des littérateurs, ceux qui promènent leurs premiers poèmes dans leur poche intérieure pour les lire à la première occasion; ceux qui ont déjà été publiés ici ou là, qui ne vont pas si mal après tout et qui sont déjà en bonne voie de devenir des capitalistes de l'intellect. Mais surtout, surtout, il y a le troupeau des naufragés, une multitude de personnages plus bizarres les uns que les autres et dont les vies sont aussi étranges qu'eux. Ces gens n'arriveront jamais nulle part; ils ne réussiront jamais rien. Ces héros mélancoliques, silencieux et résignés, sont inconnus du monde et destinés à le rester. Parfois, cette tourbe recèle, enfouis en son sein, les véritables esprits de son époque, les porteurs et les créateurs de la pensée, dont le seul défaut est de manquer de force pour lui imprimer une forme. Mais la plupart du temps, ce sont des existences fantomatiques comme celle du général Zvolguine de Dostoïevski ou de l'ex-fonctionnaire Volkov de Korolenko. Comme tous ces personnages dont elle traite si joliment, avec tant d'hu-

mour et de chaude bonté, la littérature russe et que notre littérature s'obstine le plus souvent à ignorer, bien qu'ils nous entourent où que nous soyons.

Mais je pourrais écrire vingt articles, voire vingt romans, sur les différents types d'individus qui peuplent ce monde. Ce ne sont pas eux qui m'intéressent ici. Ce qu'il faut noter comme le plus extraordinaire, c'est toute la vie commune d'un café, depuis le propriétaire jusqu'à la vieille des cabinets, en passant par le garçon qui tient les comptes, les serveurs, les apprentis-serveurs et la dame du vestiaire. C'est un microcosme, avec ses lois, son jargon, tout ce qui en fait un monde à part, si différent du reste de la vie.

Les gens s'y rencontrent depuis des années. Ils savent tout de la vie des uns des autres. Ils en connaissent les itinéraires, les succès, les ratages. Ils s'observent des années durant comme les voisins d'un même palier. Les femmes qui arrivent accompagnées glissent lentement de table en table, soit « comme ça », soit à coup de mariages, d'infidélités, de divorces. Pour finir, elles font partie du café, elles perdent leur nom de famille et ne s'appellent plus que par le diminutif de leur prénom. Elles deviennent des camarades. Avec le nombre croissant des cigarettes fumées, d'amants successifs, elles perdent leur féminité. Elles s'empoussièrent. Elles suintent l'ennui. Elles enlaidissent. Ces dernières années, où les vivres manquaient, où les maisons étaient froides, où on n'avait rien à se mettre sur le dos ont métamorphosé ces cafés en maisons communes pour cette bohème si diablement misérable durant la guerre. Certains, morts de faim, d'épuisement ou de maladie, ont disparu. D'autres continuent à se réchauffer à leur tasse de café turc. La salle du café est le lieu où l'on écrit, où l'on corrige, où l'on débat. Toutes les scènes familiales s'y déroulent : *on y pleure, on y râle contre sa propre vie, on y injurie la vie en général. Au café, on peut manger à crédit; les opérations financières les plus vertigineuses y voient le jour. On y vit. On y paresse. On y tue le temps.*

Le créateur est un solitaire. Celui qui ne crée pas a besoin de se distraire. Il cherche un amusement en rapport avec son niveau intellectuel : conversation, littérature, au moins le fumet de la créativité. Et, comme une maladie peut s'avérer contagieuse, une atmosphère intellectuelle l'est aussi. Ainsi celui qui se laisse une seule fois engluer dans la molle indolence qui imprime son rythme à la vie des cafés, celui-là réussit rarement à se relever pour aller de l'avant. Bien sûr, bien sûr, ce n'est pas tout à fait vrai, car celui qui est capable d'aller de l'avant ne risque pas de se laisser engluer.

Voilà dans quel contexte Milena fit la connaissance de Kafka. L'un et l'autre conservent un souvenir plutôt flou de leur rencontre. Dans sa première lettre, Kafka écrit : « Je m'aperçois tout à coup que je ne me rappelle au fond aucun détail particulier de votre visage. Seulement votre silhouette, votre costume au moment où vous êtes partie entre les tables du café; de cela, oui, je me souviens[1]. »

En fait, leur liaison ne commence pas avec cette rencontre, mais plutôt par la traduction que Milena entreprend des nouvelles de Kafka. Ce travail sert de point de départ à un échange de lettres, connu de nos jours sous le titre de *Lettres à Milena*. Correspondance qui, soit dit en passant, fut publiée après la mort de Milena sans égard pour le fait que ni elle ni Kafka n'eussent probablement jamais consenti à sa parution. Je dois m'ins-

---

1. *Id., op. cit.*, p. 32.

crire en faux ici contre les affirmations de son éditeur, M. Willi Haas. Milena ne lui a jamais confié les lettres de Kafka pour qu'il en use à sa discrétion. Je reviendrai plus tard sur cet aspect-là des choses. Pour le moment, voyons quelle est l'origine de cette correspondance.

Les premières lettres échangées ont trait surtout aux traductions de Milena. Il ne s'agit pas de relations amoureuses, mais bien plutôt d'une correspondance de travail. Tout au plus devine-t-on entre les lignes un peu d'amitié, un peu d'admiration. Cependant, très vite, les questions de travail passent au second plan.

Il est certain que ces premières lettres ont joué un rôle fondamental dans la vie de Milena. Elles versaient leur baume sur toutes les plaies qu'avivaient jour après jour l'attitude d'Ernst, la jalousie, l'humiliation d'être tombée dans une misère inconnue jusque-là et, surtout, ce sentiment d'isolement que Milena supporte plus mal encore que tout le reste.

Pour Kafka, elles jouent un rôle à peu près analogue. A un autre niveau, bien sûr; mais elles l'arrachent lui aussi à son sentiment de solitude. Hormis quelques rares rencontres, leur amour sera entièrement épistolaire. Il échappera à toute confrontation avec la réalité. Ainsi Kafka et Milena ont pu s'offrir l'un des plus grands luxes qui soient : celui d'être absolument sincère, de se livrer à la connaissance parfaite de l'autre. Ils n'ont couru aucun des dangers qui menacent ceux dont les corps se côtoient en même temps que les âmes. Ils n'ont aucunement risqué l'érosion du quotidien. Au lieu de la proximité physique, le désir de cette proximité leur a été octroyé. Ainsi, tout en se connaissant mieux que s'ils avaient vécu ensemble jour après jour, ils sont demeurés l'un pour l'autre l'« idéal ». Du moins au début.

Dès les premiers temps, Milena reconnaît la

valeur littéraire de Kafka. La mesurant très tôt, elle agit en conséquence : elle s'intéresse à ses œuvres et entreprend leur traduction. Elle sent également qu'il possède une sorte de grandeur dont elle a l'intuition dès les premières lettres. Mais c'est une grandeur tellement particulière, tellement différente de son propre naturel à elle, qu'elle en éprouve comme une angoisse. Ses entrevues avec le véritable Kafka ne seront pas à proprement parler décevantes – elles ne sont pour elle que l'approche de quelque chose d'entièrement imprévisible.

Mais son émerveillement premier aide Milena à surmonter toutes les difficultés. Elle s'en expliquera plus tard dans une lettre au docteur Max Brod : elle y évoque sa rencontre viennoise avec Franz dont le mal paraissait lâcher prise et dont l'angoisse perpétuelle arrivait à fondre devant son sourire. Tout semblait devoir s'arranger alors...

Pourtant la vie quotidienne de Milena est loin de virer au beau fixe. Même l'aide financière de Kafka ne suffit pas. De plus (Milena ne m'en a jamais parlé, mais je l'ai connue d'assez près pour être à même d'imaginer ce que cela signifiait pour elle), la situation qui résulte de cette aide est par force très singulière : Kafka soutient Milena sur les deux plans – psychique et matériel – mais sa contribution aboutit avant tout à faciliter les rapports de Milena et de son mari Ernst. Or Kafka ne souhaite qu'une chose : voir cette union cesser pour de bon. Il encourage Milena à abandonner Ernst et à venir vivre avec lui, Franz.

Cependant Milena reste encore tellement éprise d'Ernst qu'elle est incapable de le quitter. Ainsi, l'aide qu'elle reçoit de Franz équivaut nécessairement pour elle à un coup de pouce qui consolide son ménage. Autrement ce ne serait pas de l'aide. Et le cercle vicieux continue de tourner...

Au début, les échanges entre Vienne et Merano

sont très fréquents. Kafka, de treize ans l'aîné, est à bien des égards plus calme et plus patient que Milena. Et ce qu'il sait du couple Ernst-Milena ne lui fait pas considérer que Milena commette une infidélité...

Il lui propose un séjour à la campagne. Milena s'installerait quelque part dans le beau pays de Bohême. Elle serait indépendante de son mari car lui, Franz, lui enverrait assez d'argent pour subvenir à ses besoins. Elle se referait une santé, ses nerfs, qui sont à tout le moins ébranlés, cela crève les yeux, par sa vie viennoise, se remettraient en place... Toutes ces lettres traduisent son intérêt; le bien-être de Milena le préoccupe; il veut lui venir en aide. On y sent affleurer ce dont a le plus cruellement besoin celle à qui ces lettres sont destinées : du respect et de l'amour. Ces premières lettres, où le mot « tu » n'apparaît presque jamais, laissent déjà deviner la naissance de l'amour.

Milena refuse la proposition de Kafka. Elle ne peut abandonner Ernst. Ni pour se refaire une santé, ni pour le quitter pour de bon et couper court à sa détresse une bonne fois pour toutes. Mais les lettres qui soignent son amour-propre blessé, réparent en même temps ses nerfs. L'intérêt qu'on lui manifeste la fait embellir, lui fait retrouver son assurance perdue. Petit à petit, elle regagne l'attention... de son mari.

L'état psychique de Milena s'améliore. Ses articles à *Tribuna* ont du succès. Malgré les complications dont il est porteur, l'amour de Kafka l'arrache véritablement à la solitude qui fut son lot jusqu'à ce jour. Le regain d'intérêt que lui manifeste Ernst fait renaître en elle ce brin d'espoir en quelque chose qu'elle n'attendait plus et qu'elle hésite encore cependant à regarder en face.

La première rencontre avec Franz se passe bien. Il est sensible. Il aime Milena dont le bon état général se répercute sur lui. Ensemble, ils vagabondent parmi les collines sans même s'essouffler. Il suffit à Kafka de regarder Milena au fond des yeux pour chasser temporairement son angoisse, cette angoisse perpétuelle qui lui vient du fin fond des âges. Il l'aime trop pour imaginer combien de sentiments complexes et contradictoires cachent cette joie, ce bonheur.

Puis vient le temps des petites déceptions. Je ne sais trop dans quel ordre elles se sont présentées, je connais seulement leur existence. Sans doute fallait-il être un familier de Milena pour se figurer tout ce que cache la description qu'elle fait de Kafka expédiant un télégramme à la poste, telle qu'elle apparaît dans une lettre écrite à Max Brod. À première vue, on croirait à un simple récit. Milena décrit d'abord Kafka préoccupé de trouver un guichet à sa convenance. Elle le montre remplissant longuement le formulaire, payant la somme indiquée par la demoiselle des postes, recomptant sa monnaie et s'apercevant qu'on lui a rendu de l'argent en trop. Retour de Kafka au guichet afin de restituer la somme en excès. Description réitérée de Kafka qui recompte sa monnaie et qui s'aperçoit qu'en fait c'est lui qui s'est fait voler. Il se sent complètement perdu : doit-il se retourner vers le guichet ? Cela y impliquerait une nouvelle négociation et la file de gens qui attendent leur tour est longue. La description semble parfaitement anodine. Elle omet seulement de montrer la tête de Milena au moment où l'argent est compté pour la seconde fois, son impatience face à tant d'embarras pour quelques hellers et à tant de respect pour l'ordre établi, un ordre si étranger à Milena dans la vie courante. Elle ne dit rien de la répugnance de Milena face à un comportement qui ne peut que lui paraître relevant de la pure mesquinerie. Elle ne mentionne pas non plus sa propre incapacité à compter les centaines de couronnes, encore moins les hellers. Sans doute est-ce vrai qu'elle n'accuse pas son Franz d'avarice – du moins selon ce qu'elle écrit à Max Brod. Sans doute croit-elle Kafka lorsqu'il affirme, à propos d'un autre incident, que son seul sens de l'ordre le pousse à agir comme il le fait. Cette fois-là, Kafka voulait donner une couronne à une mendiante. Or la plus petite pièce que contenaient ses poches valait deux couronnes. Il a donc demandé à la mendiante de lui rendre une couronne. La mendiante n'avait pas cette somme. J'imagine la tête de Milena. Ceux qui l'ont connue peuvent le faire comme moi, rouge comme une pivoine jusqu'aux oreilles, gênée, enrageant et s'apitoyant tout à la fois, ses yeux bleus grands ouverts sur la scène dont elle est spectatrice – il faut bien la connaître pour lire tout cela entre les lignes de la description qu'elle fait de Kafka.

A la fin, Milena a proposé de laisser toute la somme à la mendiante. Mais Franz cherche d'abord où faire la monnaie : il faudrait aller trop loin. Il finit donc par écouter Milena et la mendiante est gratifiée de la grosse pièce. « Franz était très mécontent de moi », constate Milena dans sa lettre. Peut-être. Mais je doute que Milena ait elle-même été très contente de lui. Il faudrait ne pas l'avoir connue pour l'imaginer satisfaite...

Milena déclare qu'elle sait parfaitement que Kafka serait prêt à lui donner vingt mille couronnes si elle les lui demandait. En revanche, ce qui lui serait difficile, ce serait de donner vingt mille et une couronnes si on ne lui en avait demandé que vingt mille au départ. Je crains bien que ce ne soit là qu'une vérité partielle. Milena sait fort bien que Kafka lui donnerait tout ce qu'elle pourrait lui demander s'il le pouvait. Lui-même écrit que si elle acceptait de quitter son mari, il éviterait de se mêler de cette affaire; il ne chercherait même pas à la voir tant qu'elle n'irait pas mieux. Mais Milena sait parfaitement qu'elle ne peut guère confesser à

Franz ce qu'elle ne s'avoue qu'à peine à elle-même : à savoir qu'elle est incapable d'abandonner Ernst.

Pourtant, Milena finira par se résoudre même à ce pas définitif. Même cela, elle le fera. Mais la situation sera alors tout à fait différente.

En fait, l'entente entre Franz et Milena est infiniment fragile. Ils ne se complètent que jusqu'à un certain point. Elevé par un père qui lui inspira toute sa vie durant la même crainte que mon grand-père inspirait à Milena, Kafka se plie à toutes les volontés paternelles. Bien sûr, Milena craint aussi son père. Mais elle peut par ailleurs oublier tout à fait son existence lorsqu'il lui faut prendre une décision; elle peut ne faire aucun cas de lui, elle peut faire abstraction de la panique qu'il lui inspire.

Tandis que Kafka est méticuleux au dernier degré lorsqu'il s'agit de ses affaires, de son argent, de tout ce dont il a reçu la jouissance, Milena est d'une inconséquence de grand seigneur : elle use de l'argent et des choses sans l'ombre d'une hésitation ou d'un remords, comme si elle les puisait à une source intarissable. Elle le fait sans se préoccuper de sa situation du moment, que cette situation soit celle d'une aisance relative ou au contraire d'un dénuement qui a toutes les chances de se prolonger.

Obsédé qu'il est par ce sens de la responsabilité qui ne le quitte jamais, Kafka est prudent en amour. Son angoisse lui colle à la peau. Sa peur est de tous les instants. Toute sa vie, il aspirera à fonder un foyer, à avoir des enfants. Pourtant, jamais il n'osera se marier.

Milena, elle, se marie deux fois *de jure*, trois fois *de facto*. Ce n'est pas le sentiment de responsabilité ni l'angoisse qui l'empêcherait de dormir. En amour comme ailleurs, elle donne tout ce qu'elle possède. C'est parfois peu de chose. Parfois, c'est plus que le donataire n'en peut supporter. Elle donne toujours jusqu'à la limite de ses possibilités.

Kafka est d'une honnêteté scrupuleuse.

Pour l'être aimé, mais aussi pour répondre à la demande d'un quelconque solliciteur, Milena est capable des pires écarts. Son goût du risque frise l'inconscience. Elle n'hésite d'ailleurs pas à faire de même lorsqu'il s'agit de défendre ses propres intérêts.

Le tableau n'est plus le même quand on s'intéresse aux écrits de Kafka et aux articles de Milena sur lesquels Franz ne tarit pas d'éloges, que ce soit dans sa correspondance avec Milena ou dans ses conversations avec Max Brod. Quand elle choisit les nouvelles de Kafka pour les traduire, Milena a manifestement la main heureuse. Ce sont des œuvres dont la valeur, depuis longtemps, n'est plus contestée.

Les articles de Milena font davantage problème. A l'époque qui nous intéresse, ils sont encore bien juvéniles : ce sont les premiers essais d'une bonne journaliste en herbe. Kafka l'a-t-il deviné ? Aimait-il passionnément Milena ? Peut-être était-il conscient de sa propre valeur au point de savoir qu'une personne capable de l'apprécier ne pouvait qu'atteindre un jour à une création authentiquement personnelle. En tout cas, ses lettres à Milena comme les conversations rapportées par Max Brod prouvent que l'hommage qu'il rendait aux articles de ma mère n'était pas de pure forme.

Leur liaison prend cependant une forme curieuse. Autrement plus étrange que ne le laissaient imaginer ses débuts.

Milena et Kafka se retrouvent à Gmünt – rencontre malencontreuse s'il en est, entre une Milena pleine de vitalité, impulsive, passionnée, et un Kafka malade, précautionneux, éloigné de toute passion.

Il ne se passa rien, pas même ce qui aurait sans doute dû se passer. Une fois de plus, Milena regagne Vienne et y rejoint Ernst. Et sa vie singulière s'y poursuit, entre les leçons et les valises.

Kafka finit par comprendre que Milena ne quitterait pas Ernst. Il décida de mettre un terme à leur correspondance. Comprenons-le : il ne tient pas à s'obstiner dans une relation qui n'est pour lui qu'une source de douleur. Milena réagit d'abord par l'irritation, par l'angoisse, par le désespoir : elle ne souhaitait pas vraiment rompre avec Kafka. Et pourtant, à tout prendre, elle s'en remet plutôt rapidement...

*

L'article de Milena intitulé « Le diable au foyer[1] » résume clairement son attitude envers Franz Kafka. En même temps elle y explique pourquoi elle aurait voulu épouser Kafka et pourquoi ce dernier aurait voulu le faire, mais aussi pourquoi elle y a renoncé :

« *Pourquoi dit-on aujourd'hui que tous, ou presque tous les mariages modernes sont malheureux (comme si les mariages d'autrefois, eux, ne l'étaient pas)? La question est à la mode et, sur le registre sérieux, toute une littérature tourne autour d'elle; sur le registre futile, elle est au centre des bavardages du moindre five o'clock tea. Toute question se prête aux papotages mondains aussi bien qu'aux essais philosophiques, et nous autres journalistes ne sommes pas les derniers à exploiter ces sujets qui sont pour ainsi dire dans l'air du temps. Mais moi, cette question-là ne cesse de m'étonner; ce n'est pas que je sois*

1. « Le diable au foyer », Milena Jesenská, *Vivre*, textes réunis et présentés par Dorothea Rein, traduction française de Claudia Ancelot, p. 97-102, Lieu commun, 1985.

incapable de dire pourquoi les mariages modernes sont malheureux – les journalistes, n'est-ce pas, ont réponse à tout. Mais je me demande toujours pourquoi ces mariages devraient être heureux...

« Car c'est là que tout commence. Deux êtres – deux petites larves humaines, solitaires, exposées aux désespoirs, aux deuils d'une existence sans échappée, deux petites gens sur notre planète d'une immensité si inquiétante, si terrible, si inimaginable, tous deux malheureux selon la loi naturelle et générale – vont être soudain, disons à neuf heures et demie du matin, enfermés dans un appartement, dans un même nom, un même patrimoine, un même destin, et vous voudriez qu'ils soient soudain heureux simplement parce qu'ils sont deux ?

« Il me semble qu'au moment même où deux êtres se marient pour être heureux ensemble, du moins le croient-ils, ils tournent déjà le dos à toute chance de bonheur. Se marier pour le bonheur, c'est une forme de cupidité, tout comme se marier pour deux millions, l'auto ou le titre nobiliaire. Une chose est sûre : les comptes et les chiffres, dans les affaires de cœur, se vengent toujours. Pour se marier, deux êtres ne peuvent avoir qu'une seule raison sensée – à savoir qu'il leur est impossible de faire autrement; que, tout simplement, ils sont incapables de vivre l'un sans l'autre. Cela arrive. Sans le moindre romantisme, la moindre sentimentalité, le moindre tragique. Cela arrive tous les jours, et que l'on l'appelle l'amour ou tout autre chose, c'est le sentiment le plus fort et le plus justifié du monde. Mais il y a des quantités de gens qui dans leur vie refoulent cela et qui passent à côté.

« Deux êtres se marient pour vivre ensemble. Eh bien, cette possibilité est un don immense, extraordinaire, mais pourquoi voudraient-ils le bonheur de surcroît ? Pourquoi les gens sont-ils incapables de se contenter de la vérité sans fioritures; pourquoi préfèrent-ils les mensonges enrubannés? Pourquoi se promettent-ils quelque chose que rien – ni eux-mêmes, ni le monde, ni la nature, ni le ciel, ni le destin, ni la vie – ne peut accomplir et que rien ni personne ne peut jamais atteindre? Pourquoi ajouter à un contrat réel, terrestre, des fantaisies romanesques telles que le bonheur? Pourquoi demander à l'autre plus qu'on ne peut donner soi-même; pourquoi exiger quoi que ce soit d'un événement aussi grand, aussi grave, aussi profond que l'est la vie commune?

« Si nous prenions conscience de ce qu'est le mariage avant de nous marier, nous nous rendrions tout naturellement compte de certaines choses auxquelles nous n'avons pas le loisir de penser. Par exemple, que la vie commune n'est pas plus facile, mais plus difficile que la vie solitaire. Toute sorte de compensations s'offrent aux solitaires : disons, une responsabilité limitée, la liberté, l'indépendance ou peut-être la simple possibilité de partir vers l'Australie quand ça vous chante. Le mariage est si difficile parce qu'au moment où on s'y engage il faut renoncer à tout ce qu'il ne vous apporte pas. Et c'est là le deuxième écueil sur lequel se brisent les mariages d'aujourd'hui : les gens se marient sans se choisir définitivement l'un l'autre. Ou, en d'autres termes, sans décider de renoncer à tout le reste.

« Connaître l'autre est une chose incroyablement difficile. Je crois ne pas exagérer en disant qu'on peut connaître l'autre une première fois après une demi-heure de conversation et une seconde fois après dix années de vie commune. Je crois aussi qu'il est presque impossible qu'avant le mariage deux êtres aient la moindre idée de qui ils sont et de qui ils épousent. Même s'ils connaissent tous leurs actes, idées, enthousiasmes, convictions, croyances et certitudes, ils n'ont pas encore découvert leurs chaussettes, leurs yeux somnolents, la manière dont ils se gargarisent en se lavant les dents le matin, la façon qu'ils ont de donner un pourboire au garçon – car dans les profondeurs quelqu'un peut nous tromper, mais jamais dans le superficiel. Ainsi tout mariage recèle-t-il mille et un risques de déception et toutes les possibilités de naufrages intimes contre lesquels il n'existe qu'une seule bouée de sauvetage : assumer le risque par avance. La convention veut qu'au nom de l'amour on pardonne à l'autre toute la diversité de ses méandres intérieurs : sa nationalité, son appartenance politique et religieuse, et nous nous y conformons. Mais allons plus loin : pardonnons-lui aussi ses petits travers superficiels. Défaisons-nous de cette hystérie moderne à la Karénine et regardons d'un œil indulgent ces oreilles décollées et cette cravate nouée de travers. Chaque être est en lui-même un monde distinct; plus il est particulier, plus il est entier. Moins il a de possibilités et de talents divers, plus il les possède véritablement et à fond. Et s'il n'a qu'un seul talent, celui-là est précieux entre tous. Mais tout comme nous ne pouvons pas demander à un blond d'avoir en même temps – disons les mardis et les vendredis, pour changer – des cheveux noirs, nous ne pouvons pas demander à un cuistre d'aimer danser le shimmy, à un imbécile de comprendre Kirkegaard, à un peintre de s'intéresser aux mathématiques, à un mélancolique de pousser la chansonnette, à un solitaire de donner des soirées. Voilà un calcul simple comme bonjour, et on s'étonne que les gens soient incapables de le comprendre. En général, ils se reprochent le fond même de leur personnalité et ignorent que le rôle du mariage est justement de supporter la personnalité de l'autre et même au point que l'autre se sente le droit d'être comme il est. Car, en fin de compte, c'est toujours une confirmation de soi-même qu'on attend de l'autre. La preuve qu'on est aimé " en dépit de ". Ces " en dépit de ", nous en avons tous et c'est pourquoi nous sommes malheureux. Vous ne me ferez pas croire que les gens vivent ensemble pour assouvir des besoins sexuels, érotiques, financiers, sociaux; ils vivent ensemble pour avoir un compagnon. Pour que, dans la solitude du monde, il y ait quelqu'un qui confirme leur droit à l'existence avec toutes leurs faiblesses et leurs fautes, car qu'est d'autre l'amitié qu'un soutien à notre boiteuse confiance en nous-mêmes ? Pour avoir quelqu'un auprès de qui ils échappent au châtiment, la vengeance, la mauvaise opinion, la justice, à la mauvaise conscience. Car pensez-vous vraiment qu'un foyer ait une autre vocation que celle de protéger, de protéger encore et de protéger toujours l'homme face au monde et surtout face à son miroir intérieur ? La plus grande promesse qu'une femme puisse faire à un homme, et réciproquement, c'est cette phrase profonde qu'on dit en souriant aux enfants : " Je ne te laisserai jamais. " N'est-ce pas plus que : " Je t'aimerai jusqu'à la mort " ou : " Je te serai fidèle pour l'éternité " ? " Je ne te laisserai jamais. " Tout est là. La décence à l'égard de l'autre, la véracité, le foyer, la fidélité, l'appartenance, la décision, l'amitié. Incommensurables promesses comparées à ce misérable petit bonheur.

« Bref, j'ai comme l'impression que nos mariages sont si malheureux que parce que (sic) nous avons pris le parti de la facilité. Qu'il est commode d'accepter de l'autre une promesse qu'il ne peut pas tenir et, au bout d'un an, parce qu'il ne l'a pas tenue, de se vexer et de plier bagages. Je crois qu'il serait bien plus difficile, et aussi plus honnête, de promettre ce que l'on peut tenir et de le tenir pour de bon. Toutes ces fantastiques

70

profondeurs ne sont que des prétextes qui se brisent en mille morceaux à la première véritable difficulté où il faudrait se comporter décemment. Pourquoi les gens ne se promettent-ils pas de ne jamais être trop paresseux pour rapporter une orange, un bouquet de violettes, un beau crayon tout neuf ou un sachet de raisins de Smyrne? Pourquoi ne se promettent-ils pas de venir prendre leur petit déjeuner propres comme un sou neuf, fleurant bon l'eau et le savon, et bien habillés, même au lendemain de leurs noces d'or, et tous les jours en attendant ce jour béni? Pourquoi ne se promettent-ils pas de manifester leur colère par des coups plutôt que de se reprocher telle petite bassesse, telle saleté, telle vilenie? Pourquoi ne se promettent-ils pas de toujours s'intéresser à l'autre et à ses intérêts, et peu importe qu'il s'agisse d'histoire de l'art, de football ou de chasse aux papillons? Pourquoi ne se promettent-ils pas de s'accorder l'un à l'autre la liberté du silence, la liberté de la solitude, la liberté d'avoir une chambre à soi. Pourquoi ne se promettent-ils pas toutes ces " petites choses " infiniment difficiles, réalisables et pourtant jamais réalisées, au lieu de quelque chose d'aussi subalterne que le bonheur?

« Pour que le mariage ait un sens, il doit être fondé sur une base plus large et plus réelle que l'aspiration au bonheur. Grand Dieu, n'ayons pas peur d'un peu de souffrance, d'un peu de douleur et de malheur. Essayez une fois au moins, par une nuit claire, de vous planter face au ciel étoilé et de le contempler fixement, franchement, avec concentration, pendant cinq longues minutes. Ou de gravir quelque montagne, là où on voit le paysage de haut, comme du ciel. Et vous verrez qu'il suffira d'un moment pour que vous soyez persuadés de l'importance de la vie et de la vanité du bonheur. Le bonheur! Comme si la possibilité du bonheur ne résidait pas uniquement, exclusivement, en nous-mêmes? Comme si le don du bonheur n'était pas un don particulier, comme celui du chant, de l'écriture, de la cordonnerie ou de la politique! Donnez à un homme tout ce qu'il souhaite, comblez-le d'amour, de cadeaux, de privilèges, de tout ce qu'il voudra et, malgré tout, il ne sera pas heureux. Frappez un autre homme jusqu'au sang et peut-être, en passant dans la rue, verra-t-il une montagne de carottes fraîches, humides, d'un rouge incarnat sous les touffes vertes et sera-t-il heureux?

« Il est deux façons de vivre : accepter le sort, en prendre son parti, le connaître et le prendre avec ses avantages et ses inconvénients, ses bonheurs et ses malheurs, courageusement, honnêtement, sans marchander, avec générosité et humilité. Ou partir en quête de son destin; mais dans cette recherche on perd non seulement ses forces, son temps, ses illusions, son juste et bénéfique aveuglement, ses instincts. On y perd aussi sa propre valeur. On s'appauvrit. Ce qui arrive est toujours pire que ce qui a été.

« Et enfin : pour chercher, il faut avoir la foi et la foi exige sans doute plus de forces que n'en demande la vie. »

Cet article date d'après leur rupture. Kafka réagit avec justesse et sensibilité :

« Je pense encore souvent à votre article. Je crois en effet, aussi bizarre que cela paraisse, et pour convertir en dialogue concret nos dialogues imaginaires (trait juif! trait juif!) qu'il peut exister des mariages qu'on ne peut pas imputer au désespoir de la solitude, de nobles, de lucides unions et je crois qu'au fond l'ange le croit aussi. Car ces gens qui se marient par désespoir... qu'y gagnent-ils? Une solitude ajoutée à une autre solitude ne peut créer un foyer, cela crée un bagne. Chacune des deux solitudes se reflète dans l'autre et la nuit la plus profonde, la plus noire, n'y change rien. Si c'est à quelqu'un qui ne doute pas de lui que s'attache l'être solitaire, c'est encore bien pis pour lui. (A moins qu'il ne s'agisse d'une solitude délicate, inconsciente, d'une tendre solitude virginale.) Se marier exige au contraire, au sens le plus strict : que l'on soit sûr de soi[1]. »

Voilà donc quel était le point de vue de Kafka. Ce point de vue explique leur séparation, qu'ils eussent ou non été faits l'un pour l'autre. Il permet de comprendre pourquoi leur rupture fut radicale et définitive, malgré la douleur, le malheur, la détresse dans laquelle elle les plongea l'un et l'autre. Pourquoi leur liaison ne pouvait se prolonger, ni sous sa forme d'alors, ni sous aucune autre forme.

*

Milena et Kafka cessent réellement de s'écrire. Tout au moins de manière directe. Mais les échos de leurs échanges résonnent dans les articles de Milena. Kafka y réagit toujours au bout d'un certain temps. Il répond à l'article « Le diable au foyer ». A d'autres aussi. Il écrit même à Milena en la priant de lui faire parvenir, comme par le passé, les journaux auxquels elle a collaboré. Et Milena de se remettre à lui expédier les numéros où paraissent ses chroniques.

Précisons que les articles de Milena sont alors si personnels, si chargés de son propre vécu, qu'ils ressemblent plutôt à des lettres. D'ailleurs, Milena les conçoit ainsi. Chaque article équivaut pour elle

1. Nous n'avons pas suivi exactement la traduction d'Alexandre Vialatte, *op. cit.*

à une lettre qu'elle adresse à ses lecteurs. Pour tout dire, à une lettre qu'elle adresse le plus souvent à un lecteur unique.

Dès le début – même au temps de leur correspondance quotidienne – les articles qui suscitent les réactions les plus favorables de Kafka sont ceux où Milena évoque ses expériences les plus personnelles. Paru dans *Tribuna*, un des premiers textes que Milena ait jamais écrits, enthousiasme Kafka à un tel point qu'elle en est elle-même décontenancée :

« Je passais chaque jour devant la vitrine d'un marchand de tableaux. Il y avait là l'image d'un lapin, d'un adorable petit lapin s'enfuyant à travers la plaine en direction d'une forêt, sa petite queue blanche en l'air. Ce petit lapin me plaisait. Il était si seul dans ce monde si blanc, et sa petite queue ajoutait encore à son allure de fragilité nostalgique. Mais voilà : au bout de quelques semaines, ce petit lapin commença à m'agacer prodigieusement. Qu'il pleuve ou qu'il fasse soleil, qu'il soit matin ou midi, le petit lapin fuyait toujours, son bout de queue en l'air. Il finit par me mettre en colère. C'était plus fort que moi : chaque jour, dès le début de la rue, il fallait que je m'assure qu'il était encore là. Finalement, ce petit lapin m'a interdit cette rue, j'ai préféré changer d'itinéraire. »

Milena ne voyait rien dans ce souvenir qui fût particulièrement digne d'intérêt. Et le style du passage n'était guère original...

Une chronique écrite pour *Národní Listy* contient même une excuse directement à l'adresse de Kafka. Milena y demande pardon de l'une des souffrances qu'elle lui a causées. Vis-à-vis de quelqu'un qui l'aimait, elle ne savait jamais donner seulement du bonheur. Qui l'aimait, et qui était aimé d'elle connaissait tantôt la joie folle, tantôt le malheur sans espoir, rarement les états intermédiaires. Quand, gagnés par la lassitude, ceux qu'elle aimait cessaient de réagir aux excès de son affection étouffante, c'était au tour de Milena d'en devenir malheureuse à mourir. Et lorsque Milena était malheureuse, il était difficile de passer une heure dans la même pièce qu'elle. Toute une vie, ç'aurait été impensable. Je parle par expérience, et mon expérience date des années où ses manifestations affectives, par rapport à ses années viennoises, s'étaient quelque peu émoussées, dépassionnées, assagies.

Peu de temps après leur rencontre pragoise, Milena s'excuse donc pour une de ces souffrances qu'elle infligea à Kafka. Voici son texte, extrait des pages de *Národní Listy* :

« ... un jour, quelqu'un m'a raconté la nuit la plus désespérée de sa vie : " Ma seule consolation honteuse, c'était la fenêtre derrière mon lit, la fenêtre du quatrième. Comme quelqu'un qui aurait eu le mal de mer et qui se serait agrippé au bastingage pour attendre plus tranquillement le moment de vomir, ainsi je m'accrochais à cette fenêtre derrière moi afin que, si tout s'effondrait – et au cours de cette nuit cette menace approchait avec la rapidité de l'éclair –, je pusse jeter ma vie par cette fenêtre...[1] " »

Voilà ce qu'écrit Kafka dans sa lettre. Et Milena de poursuivre :

« Vous arrivez en train dans une ville inconnue. Le soir, du parc où vous êtes, vous levez les yeux vers les appartements. Ou vous les regardez depuis la rue. Vous êtes sous la fenêtre – mais entre les gens qui se trouvent à l'intérieur et vous, il y a

1. Milena Jesenská, *op. cit.*, p. 72.

cette fenêtre, un carré de vitres. Doué d'un pouvoir magique.

« ... Avez-vous jamais vu le visage d'un prisonnier derrière les barreaux? Un visage découpé par la croix des barreaux? C'est là qu'on comprend que ce sont les fenêtres et non point les portes qui s'ouvrent sur la liberté. Le monde s'étend devant la fenêtre. La fenêtre donne sur le ciel. Un visage derrière une fenêtre à barreaux est plus terrible qu'un être derrière une porte verrouillée. Car c'est dans la fenêtre que réside toute espérance de la lumière, du lever du soleil, d'horizon; c'est dans la fenêtre que se logent les désirs et les aspirations. Derrière la porte, il n'y a que la réalité[1]. »

En dépit de ces dialogues par journaux interposés, en dépit de leur transparence pour l'un comme pour l'autre, toutes les visites ultérieures de Milena à Kafka tourneront mal. A ma connaissance, ils ont dû se revoir environ quatre fois. Kafka, dans son journal, compare l'une de ces rencontres à une visite au chevet d'un malade.

Pourtant, même le naufrage de leur amour n'ébranle pas la confiance de Kafka dans Milena : il lui confie ses journaux intimes. Dans sa chambre de Merano, il s'est inventé une Milena qui ressemble par moments à la Milena véritable. Comme il arrive que l'écho ressemble au cri qui lui a donné naissance.

Kafka une fois mort, et conformément à ses vœux, Milena donna ces carnets à Max Brod. Connaissant bien Kafka, elle savait quelle torture lui aurait infligé tout manquement à sa volonté, ou même à ses simples souhaits.

Entre-temps, Milena poursuit son œuvre de traductrice. Elle publie *Le Verdict* dans le magazine

1. *Id.*, p. 70-71. Le texte cité par Jana Černá adopte un ordre différent de celui retenu par D. Rein.

Cesta (*Le Chemin*)... La boucle est bouclée – Milena et Kafka reprennent leur correspondance; mais ils abandonnent l'intimité du « tu » pour en revenir au vouvoiement distant. Leur collaboration, origine et prétexte de leur amour onirique se poursuit. L'amour s'efface cependant, comme un paysage disparaît dans le lointain.

Le 12 janvier 1924, la poste, cette messagère si peu sûre, porte encore vers Kafka une enveloppe contenant un numéro de *Národní Listy*, ou plus exactement une coupure, intitulé « D'homme à homme ».

Terrassé par la douleur, la maladie, son malheur intérieur et la fin qu'il sent imminente, Kafka n'a peut-être jamais reçu cette enveloppe. Pour autant que je sache, il n'en a jamais accusé réception. Mais l'enveloppe fut bel et bien envoyée, dernière lettre de Milena à un Kafka encore vivant...

« L'homme se tient devant vous comme un arbre de la forêt. Il est le produit de déterminismes secrets, façonné par de secrètes influences... Méchant, menteur, déplaisant, il a besoin de votre aide. Tâchez de le supporter quelquefois. Alors, curieusement, une pensée vous effleurera comme une caresse. On se plonge dans la rêverie et on voit tout à coup la petitesse de ses efforts, tout juste ceux d'une fourmi sur un tas d'aiguilles. Levez donc la tête, le monde est grand et les étoiles passent, là-haut, tandis que nous, en bas, sommes si petits, si pauvres. »

J'en arrive à penser que, même s'il les avait reçues, de telles phrases n'auraient guère aidé Kafka. Elles s'écartent déjà trop du registre habituel de Milena. Pour tout dire, ce sont les paroles de quelqu'un qui a devant lui vingt années de vie. Même sans le savoir, cela se lit entre les lignes...

A Kierelingen, le 3 juin 1924, Kafka est sur le

point de mourir de tuberculose. Il dit à son médecin : « Donnez-moi du poison. Sinon vous êtes un assassin. » Les paradoxes de Kafka ne sont jamais absurdes qu'en apparence. Le plus souvent, ils lui permettent d'exprimer l'incompatibilité qu'il y a entre l'ordre implacablement authentique qu'il porte en lui et l'ordre relatif qui est celui du monde temporel. Il en va de même cette fois-ci. Le médecin n'a pas le droit d'écourter la vie de son patient, alors même que tout espoir est perdu et que le malade et son docteur ne font plus de conserve qu'attendre la fin.

Ainsi donc le docteur Klopstock et Kafka attendent-ils ensemble la mort. Les voilà presque ennemis, car durant cette attente la législation des vivants continue de s'appliquer même à ceux pour qui la fin n'est plus qu'une affaire de minutes.

On interprète généralement les dernières paroles de Kafka comme l'expression de sa peur de contaminer autrui. Elles s'adressent à son infirmière : « Va-t'en, Elly, ne reste pas si près, pas si près... » Puis, quelques instants plus tard : « Oui, comme cela, c'est bien ainsi... »

Peut-être Kafka craignait-il vraiment que son entourage n'attrape sa maladie. Peut-être aussi est-ce là le paroxysme d'une vie tout entière placée sous le signe de la peur de l'autre, du dégoût de la chair et de tout contact physique. Peut-être aspirait-il tout simplement à préserver sa dernière pensée de toute crainte, de toute répulsion. Mourir exige que l'on se concentre. Et la proximité des vivants distrait forcément.

Le 6 juin 1924, trois jours après le décès de Kafka, la notice nécrologique de Milena paraît dans *Národní Listy*. On l'a récemment republiée, et même à plusieurs reprises : il serait oiseux de la citer en entier. Rappelons seulement que Milena y parle de la mort de Kafka comme d'une mort presque volontaire. Ou plutôt qu'elle évoque sa maladie plus comme une maladie de l'âme qu'une maladie du corps, ainsi qu'elle l'avait déjà fait dans une lettre à Max Brod datant de 1920-1921. Pour Milena, la maladie de Kafka traduit sa répugnance, son incapacité à vivre dans le monde qui l'entoure.

« Je suis absolument certaine qu'aucun sanatorium ne parviendra à le soigner. Il ne se rétablira jamais, tant que cette angoisse l'habitera. Aucun affermissement psychique ne peut surmonter cette angoisse, car l'angoisse fait obstacle à tout affermissement. Cette angoisse n'a pas seulement trait à moi, mais à tout ce qui vit sans pudeur, à la chair aussi par exemple. La chair est trop dévoilée, il ne supporte pas de la voir. C'est là une angoisse qu'à cette époque je suis parvenue à écarter. Lorsqu'il la sentait monter, il me regardait dans les yeux, nous attendions un moment comme si nous ne pouvions reprendre haleine ou comme si nos pieds nous faisaient mal et, au bout d'un moment, elle s'en était allée. Il n'y avait pas besoin du moindre effort; tout était simple et clair. Je l'ai traîné sur les collines derrière Vienne, courant devant lui, car il avançait lentement; il suivait à pas lourds et, lorsque je ferme les yeux, je vois encore sa chemise blanche et son cou bronzé, je le vois encore qui s'efforce à suivre. Il a marché toute la journée, montant et descendant les collines, il s'est exposé au soleil, n'a pas toussé une seule fois, a mangé comme un ogre et dormi comme un loir, il était, tout simplement, en bonne santé; ces jours-là, sa maladie ressemblait à un petit refroidissement[1]. »

Dans une autre lettre au même ami de Kafka, Milena écrit :

---

1. Cité dans *Milena* de Margarete Buber-Neumann, traduit de l'allemand par Alain Brossat, Seuil, 1986.

« Frank[1] ne peut pas vivre. Frank n'a pas la capacité de vivre. Frank ne guérira jamais. Frank mourra bientôt.

« Il est certain que nous sommes en apparence tous capables de vivre parce qu'à un moment quelconque nous nous sommes réfugiés dans le mensonge, dans l'aveuglement, dans l'enthousiasme, dans l'optimisme, dans une conviction, dans le pessimisme ou dans n'importe quoi. Mais lui, il n'a pas d'asile protecteur. Il est absolument incapable de mentir, comme il est incapable de s'enivrer. Il n'a pas le moindre refuge, pas le moindre abri. C'est pourquoi il est exposé à tout ce dont nous nous protégeons. Il est comme un homme nu parmi des gens vêtus. Et ce qu'il dit, ce qu'il est, ce qu'il vit, ce n'est même pas la vérité. C'est un être pur bien décidé à rejeter tous les artifices qui lui permettraient d'exprimer la vie, sa beauté ou sa misère. Et son ascèse est absolument sans héroïsme, ce qui la rend encore plus grande et plus haute. Tout " héroïsme " est mensonge et lâcheté. Ce n'est pas un homme qui se sert de son ascèse comme moyen vers un but, c'est un homme que sa terrible clairvoyance, sa pureté et son inaptitude au compromis forcent à l'ascèse[2]. »

Voici deux lettres qui abondent en « soulignures » – comme dit Max Brod – : Milena en usait volontiers. Dans le livre qu'il a consacré à Kafka, Max Brod commente leur écriture :

« Pour ma part, je comparerais cette écriture à celle de Thomas Mann. C'est très curieux, car l'écriture de Thomas Mann, surtout dans ses jeunes années, paraît être quelque chose d'unique. »

1. Milena avait coutume d'appeler Franz, *Frank*.
2. M. Buber-Neumann, *op. cit.*, p. 95.

Milena savait que Kafka était atteint au plus profond de son être et que sa maladie n'avait rien à voir avec celle des autres pensionnaires des sanatoriums pour tuberculeux. Généralement, ceux-ci ont une incroyable envie de vivre. Or le désir de vivre de Kafka était évanescent presque jusqu'à ses derniers instants. Son désir de mort existait, fossilisé au fond de son être. Il était impossible de l'en arracher.

Milena continua de soutenir cette opinion même après la mort de Kafka :

« Pendant des années, il a souffert d'une maladie des poumons et, bien qu'il la soignât, il l'alimentait aussi sciemment et l'entretenait dans ses pensées. »

Elle poursuit, en citant une lettre de Kafka :

« Lorsque l'âme et le cœur ne supportent plus le fardeau, alors les poumons en assument la moitié pour qu'au moins la charge soit à peu près également répartie[1]. »

Les livres de Kafka sont pour Milena « cruels et douloureux, pleins de la moquerie sèche et de l'étonnement sensible d'un homme qui a vu le monde avec tant de clairvoyance qu'il n'a pu le supporter, qu'il a dû mourir ».

Jusqu'à sa propre mort, son aventure avec Kafka restera pour Milena une part essentielle de sa vie, de sa réflexion, de son travail. Mais non de son souvenir : Milena a parfaitement assimilé tout ce que cette liaison lui a apporté; en revanche elle n'eut jamais besoin d'ouvrir ses bras pour y bercer

1. Milena Jesenská, *op. cit.*, p. 123.

la relique de ses souvenirs. Elle était bien trop vivante pour cesser elle-même de vivre.

A ce sujet, une dernière anecdote me revient en mémoire.

Alors que Milena travaillait pour la résistance, en 1939, elle avait entre autres collaborateurs un Allemand, le comte Joachim von Zetwitz. Un soir, il nous rendit visite assez tard et il resta à la maison jusqu'au lendemain. La soirée se passa en discussions plus qu'en activités clandestines. Tout en préparant le café, je me sentais très adulte et j'écoutais ce qui se disait dans la mesure où mes possibilités intellectuelles et mes connaissances en allemand me le permettaient. Jochi partit au matin. Nous nous penchions à la fenêtre pour un dernier signe d'adieu. Tout à coup, Milena se tourna vers moi et dit :

— Ecoute, je me demande si tu n'es pas un peu amoureuse de Jochi.

Je lui dis qu'elle se trompait.

— Ça me rassure, tu sais. Je ne voudrais pour rien au monde que tu tombes amoureuse d'un étranger. Et si cela t'arrivait, surtout ne l'épouse pas. Et si tu l'épousais, n'aie jamais d'enfants de lui, Honza, je t'en conjure. Je te supplie de me le promettre.

Elle insistait si fort que je lui fis ce serment, sans trop savoir ce que je promettais et pourquoi. Mais l'angoisse avec laquelle Milena me réclamait ce serment était si insolite; le ton sur lequel elle le faisait était si dramatique, si neuf, si peu habituel à Milena que tant de gravité ainsi conférée à cet épisode insignifiant l'a à jamais gravé dans ma mémoire.

C'est beaucoup plus tard que j'en compris la portée. Il montrait jusqu'où l'angoisse de Franz Kafka avait pénétré Milena, angoisse d'une mort prédestinée, inéluctable, angoisse du risque de partager son sort, peut-être même de mettre au monde un enfant à son tour marqué de ce terrible sceau d'« étranger » – c'est ainsi qu'elle appelle Kafka dans ses articles.

Dix-huit années avaient passé, mais on continuait d'entendre vibrer en elle l'écho de sa peur d'être unie à un amant qu'elle avait respecté, qu'elle avait aimé, mais dont l'âme (et Milena l'avait toujours su) était vouée à la mort...

*

Au cours de son séjour à Vienne, Milena fera la connaissance d'un curieux personnage. La Vienne de cette époque fourmille de personnages bizarres et Milena a le don de les attirer. Donc, avant de quitter Vienne, elle se lie avec le comte Schaffgotsch. Celui-ci s'était battu pendant la Première Guerre mondiale aux côtés de son Autriche natale. Puis il avait rejoint le camp russe, par enthousiasme pour le bolchevisme. Dieu seul sait comment le revoilà à Vienne, et Dieu seul sait pourquoi. Milena et lui font connaissance, justement tandis qu'elle traîne les fameuses valises, devenues presque légendaires parmi ses proches. (Ces valises sont vraiment entrées dans la légende familiale; si je refusais de rendre un service à la maison, on me citait toujours Milena en exemple : elle au moins, n'avait pas rechigné à travailler de ses mains, à Vienne.) Donc, ces deux personnages se rencontrent, alors que Milena fait le porteur. M. le comte et Mme la fille d'un professeur d'Université ahanent de conserve sous le poids d'une malle, tout en devisant sur la situation mondiale. De leur discussion il ressort que le comte Schaffgotsch a tout d'un bolchevique convaincu, d'un fervent communiste. Milena dresse l'oreille. Le comte finit par la gagner à ses convictions. Son impulsion aidant, elle se met à traduire des articles de Rosa Luxembourg. C'est à lui que Milena doit d'avoir découvert le communisme. C'est lui qui la révèle au communisme. Et ce n'est pas vraiment sa faute si cet engagement causera par la suite tant de complications à Milena.

Après la rupture avec Kafka, Milena reste encore quelque temps mariée à Ernst, mais leurs disputes gagnent en violence de jour en jour, au fur et à mesure que les infidélités d'Ernst se multiplient.

Je ne sais pas au juste à quel moment le désespoir, la jalousie et l'humiliation poussent Milena à bout. Toujours est-il qu'elle décide de regagner l'amour d'Ernst coûte que coûte.

A cette époque, elle donne des cours particuliers de tchèque dans quelques familles riches. L'une de ces familles, dont l'appartement affiche un luxe provocant, laisse traîner sur un meuble, depuis plusieurs jours, un bijou de valeur. A la fin, Milena n'y tient plus. Elle l'empoche. Elle l'emporte au mont-de-piété, où elle en tire un prix honnête. Voilà de quoi être de bonne humeur pendant plusieurs heures. Milena court les boutiques de Vienne en tous sens, de la meilleure couturière à la meilleure modiste, puis chez l'esthéticienne la plus chère. Quant au coiffeur, ses services ne lui sont pas nécessaires. Aucun coiffeur au monde ne ferait mieux pour Milena que la nature.

Pendant ce temps, Ernst est au café selon son habitude. Assis au milieu de son cénacle amical, il palabre à propos de tout ce qui faisait la matière de ses discussions avec Milena, jadis, quand elle n'était pas encore fatiguée, qu'elle était élégante et qu'elle le valorisait. Maintenant, l'absence de Milena lui paraît naturelle – elle ne peut quand même pas se montrer ici avec ce qu'elle a sur le dos!

Ernst s'attarde jusqu'au soir. Rien ne le presse de rentrer. Aux côtés de ses amis, il se sent bien.

Soudain – l'heure est déjà assez avancée –

Milena fait son entrée. Elle flotte littéralement de table en table, sûre d'elle, élégante, majestueuse. Ernst est à mille lieues de se demander d'où vient cette subite métamorphose. Il se lève d'un bond, lui présente une chaise d'un geste galant. Il l'invite à se joindre à ses amis, en disant : « Que tu es belle aujourd'hui ! Voilà longtemps que je ne t'avais pas vue si élégante ! »

Milena avait espéré regagner l'amour d'Ernst. Sa réaction la déçoit cruellement. Tous les sacrifices consentis à ce jour ne comptent pour rien, tous les tourments supportés ne lui ont pas rendu son mari. Et, tout à coup, à cause d'une nouvelle toilette, d'un chapeau neuf, son regard retrouve sa flamme, son humeur galante d'antan refait surface ! Dire qu'elle avait pensé que ces hommages s'adressaient à son esprit, à son intelligence, à ses opinions ! Or rien de cela ne s'est modifié. Seuls ses vêtements ont changé à cause de sa pauvreté. Et le vêtement a fait basculer la vision d'Ernst. Tous les complexes de Milena engendrés par la froideur d'Ernst ? – sans aucun fondement. Tous ses efforts pour comprendre son mari ? – fétu de paille, au regard d'un beau chapeau.

Milena entre dans une rage folle. Elle lève le bras et – café ou pas café, témoins ou pas témoins – elle flanque à son mari une bonne paire de gifles. Après quoi seulement elle prend place à sa table. Et Ernst ne réagit pas – non pas qu'il se sente coupable. Simplement parce qu'elle est vêtue de ce satané tailleur neuf, avec son beau chapeau...

Milena s'attarde au café jusqu'à une heure avancée de la nuit, mais elle ne rentre pas avec son mari. Elle se présente, telle quelle, au poste de police, y réveille le jeune lieutenant de garde et lui annonce :

– Je suis une voleuse, j'ai volé un bijou de valeur.

Le lieutenant voit devant lui cette belle femme,

jeune et élégante. Assurément, elle n'a rien d'une criminelle. Il réfléchit quelques instants. Il finit par conclure qu'elle est un peu éméchée.

– Très bien, chère madame. J'en prends note. Vous, vous rentrez vous reposer, lui conseille-t-il avec un grand sourire.

– Il n'en est pas question. Je vous répète que j'ai volé un bijou qui vaut très cher. Je suis une voleuse.

Le jeune lieutenant ne se laisse pas facilement démonter. Il est viennois et Milena est belle. Par conséquent, il conserve son calme et ses bonnes manières.

– Je ne voudrais évidemment pas vous contrarier, ma chère dame. Mais si vous le permettiez, je vous ferais raccompagner chez vous en toute sécurité. Vous pourriez revenir demain matin et nous reparlerions de tout cela. Croyez-moi, chère madame, j'ai de l'expérience. Voilà plusieurs années que je travaille ici. Même une femme comme vous peut se trouver dans une situation, comment dirais-je, un peu délicate et, dans ce cas, mieux vaut retrouver d'abord son calme grâce à un bon sommeil.

Milena tient bon. Elle explique qu'elle est la fille du professeur Jesenský de Prague et elle refuse obstinément de quitter les lieux. De guerre lasse, le lieutenant téléphone à Prague. Avec un tact et une délicatesse infinis, il interroge le professeur : A-t-il bien une fille à Vienne ? Pense-t-il qu'elle serait capable d'un écart aussi monstrueux que celui dont elle s'accuse ?

Pour le professeur, la chose ne fait pas l'ombre d'un doute et il répond au lieutenant dans ce sens. Il saute ensuite dans le premier train pour Vienne où il arrive le lendemain matin. Il court désengager le bijou et embarque sa fille avec lui pour la placer sous la surveillance de son ami, propriétaire d'un hôtel sur le mont Špičák[1].

Cependant, c'est seulement après avoir divorcé d'avec Ernst que Milena quittera définitivement Vienne.

---

1. Margarete Buber-Neumann donne une version quelque peu différente de cet incident. Špičák : dans le massif de Šumava, en forêt de Bohême.

IV

« ... trotzdem Ja zum leben sagen [1]. »

Prof. Viktor Emil FRANKL.

MILENA regagne Prague, accompagnée du comte Schaffgotsch. Elle y revient avec une grande envie de se mettre au travail. Avec une santé défaillante, mais un système nerveux à toute épreuve – un des plus solides qu'il m'ait jamais été donné de rencontrer.

Finis, les cours particuliers aux demoiselles viennoises. Finies, les valises dans les gares. Finis, le malheur, la misère la plus noire. Envolé son amour pour Ernst qui, pendant tant d'années, avait été comme chevillé à sa vie.

Si Milena savait se donner entièrement, elle savait aussi mettre un terme irréversible aux liens qui l'unissaient à autrui. Elle n'oubliait aucun des moments vécus, mais elle ne cherchait pas à les revivre.

Sa rupture avec Ernst avait réconcilié Milena avec son père – du moins pour quelque temps –, malgré sa liaison avec le comte Schaffgotsch. Il faut croire que ce dernier avait suivi Milena simplement parce qu'il ne voulait pas rester à Vienne sans elle. Il n'y a pas d'autre explication possible,

---

1. « ... dire malgré tout oui à la vie » (en allemand dans le texte).

car ce comte bolchevique ne pouvait nourrir l'espoir de s'intégrer à la vie pragoise et les derniers jours paisibles et agréables qu'il aura connus avec Milena auront duré le temps de leur visite à Alice Gerstel, à Buchholz, près de Dresde, voyage qu'ils firent peu après leur retour de Vienne.

Ils séjournent d'abord brièvement à Prague. Milena ne vit plus chez son père : elle a trouvé une chambre meublée à Smíchov, rue Zborovská, dans une vieille maison dix-neuf-cent. Elle ne se plaît pas dans cette chambre, et c'est sans doute l'une des raisons qui la poussent à quitter Prague une nouvelle fois. Cette atmosphère de « meublé en sous-location », comme on disait à l'époque, se devine en filigrane entre les phrases de la notice nécrologique qu'elle y écrit à l'occasion du décès de Kafka.

Pour finir, Milena et le comte ne se plurent pas davantage à Dresde. Ils y avaient pourtant obtenu quelques traductions et leur situation matérielle était loin d'être mauvaise. Et puis, Milena aimait bien Dresde. C'était l'une des rares villes où elle ne se sentait pas étrangère. Mais elle commençait à se lasser de cette vie errante. Elle voulait respirer à nouveau l'air de sa ville natale. Ils reprirent donc le chemin de Prague.

Milena réussit à louer une autre chambre, un appartement magique, situé à Malá Strana sur la place Maltézská, près de la maison U dvou čertů (Aux deux diables). Après la laideur de la rue Zborovská, ce cadre répond exactement à ses aspirations.

Milena vit de façon autonome. Elle voit son père quand elle choisit de lui rendre visite. Elle gagne sa vie. Elle continue à collaborer à *Národní Listy*. Mieux : elle réussit. Elle rassemble autour d'elle toute une équipe de coopératrices avec qui elle se lance dans la création d'un journal selon son goût.

Elle a du travail par-dessus la tête et la tête pleine d'idées.

Le seul problème de Milena, c'était Schaffgotsch. Il ne pouvait guère partager ses projets. Étranger à Prague, sans amis, il dépendait entièrement d'elle. Sans Milena, il était aussi perdu qu'une aiguille dans une meule de foin. Il passait des journées entières à errer par la ville, la cherchant de bar en café, scrutant et interrogeant les clients attablés : « Vous n'auriez pas vu Milena ? »

Il en devint une sorte de curiosité pragoise exposée aux quolibets, voire à la risée générale. Milena, seule, aurait pu le protéger, mais Milena manquait de temps à lui consacrer.

Leur liaison n'avait eu de prometteur que son début.

Le temps qu'elle mit à se refaire une place dans la société pragoise, Milena fut encore relativement disponible. Schaffgotsch ne lui paraissait pas ennuyeux alors, et il ne l'était probablement pas parce qu'elle s'occupait de lui et qu'il n'était pas encore malheureux.

Un jour, Milena poussa l'audace jusqu'à l'emmener chez son père. L'expérience fut peu concluante. Certes, le professeur ne mit pas son hôte à la porte. Il se contenta de disparaître derrière son journal et ne montra plus le bout de son nez de tout le repas. Il avait rejeté Ernst, il avait rejeté Kafka, deux Juifs qui parlaient l'allemand mieux que le tchèque. Toutefois, ni l'un ni l'autre n'avaient dépassé les limites au point de s'avouer communistes.

Venant de sa fille, Jesenský ne pouvait guère voir en Schaffgotsch qu'une provocation. Qu'elle lui amenât, jusque dans sa propre maison, des individus aussi suspects, aussi peu recommandables, le blessait profondément. La seule idée que Milena ait pu être portée à fréquenter cette sorte de gens lui était une insulte.

Naturellement, le pauvre Schaffgotsch ignorait pourquoi le vieux monsieur lui faisait la tête. Tout de même, n'était-il pas le descendant d'une grande famille, d'une famille dont la noblesse ne faisait aucun doute? Son arbre généalogique n'était-il pas au-dessus de tout soupçon? Tout communiste qu'il était, il tenait à son pedigree. Et puis, ses manières de table étaient irréprochables. Il ne se doutait pas du tort que lui faisait sa réputation de « commissaire rouge ». Il ignorait que sa naissance et sa bonne éducation seules avaient empêché le grand-père de le flanquer à la porte.

Le résultat de ce déjeuner? L'un et l'autre ne virent en leur interlocuteur qu'un excentrique, décidément peu fréquentable. Et, une fois de plus, le professeur Jesenský fut conforté dans son opinion que sa fille, dans son propre intérêt, devrait être empêchée de fréquenter tous les Juifs, Allemands, bolcheviques, comtes, etc. dont elle cherchait avec obstination la compagnie.

Milena n'avait guère le temps de se torturer la cervelle avec la sympathie ou l'antipathie que ces deux hommes s'inspiraient. Le milieu intellectuel de Prague ne ressemblait plus en rien à celui qu'elle avait connu avant de gagner Vienne. Alors, ce qui faisait l'événement, c'était l'intelligentsia du café Arco. L'épithète d'« étranger » qu'employait toujours Milena pour parler de Kafka s'appliquait à tous les autres « Arconautes », étrangers qu'ils étaient à leur propre pays, à leurs maisons natales, à leur langue et à leur corps même. L'âme de tous ces hommes était comme marquée au fer rouge du sceau d'une irrémissible condamnation. Tous étaient plus ou moins apatrides. Tous, comme autant d'Ahasvérus[1], étaient voués à une errance sans fin.

Lorsque Milena revint de Vienne, le cœur de la vie intellectuelle s'était déplacé. Désormais, il se composait d'hommes et de femmes qui vivaient dans leur pays natal, pays dont ils écrivaient la langue et auquel ils appartenaient corps et âme.

Fondé en 1920, le groupe Devětsil[2] arrivait peu à peu sur le devant de la scène culturelle, d'abord à Prague, puis à Brno où se créa une branche annexe. Ses membres étaient tout sauf chauvins. Ils s'intéressaient aux événements mondiaux de toute nature. Ils n'avaient pas besoin du chauvinisme. Ils n'étaient pas aux abois, rien ne les y contraignait. Ils se sentaient chez eux dans leur pays comme dans leurs propres maisons. Bref, ce n'étaient pas, ce ne furent jamais des « étrangers » au sens où l'entendait Milena.

Avoir une patrie vous libère d'une multitude de complexes. Votre vie prend de l'assurance. Vous devenez riches d'un passé et vous disposez d'un certain avenir. Etre sans patrie signifie vivre condamné à ne posséder que le présent, et en dehors de ce présent, rien, si ce n'est l'éternité.

Milena n'a pas rejoint le groupe Devětsil dès son arrivée à Prague. Pourtant, et par une force toute naturelle, elle sent que ses membres sont proches d'elle et elle leur est proche. Comme eux, elle abhorre le chauvinisme né d'une réaction à la monarchie austro-hongroise et à son oppression, en même temps que du mouvement de renaissance nationale. Comme eux, elle se passionne pour tout ce qui est promesse d'air frais pour ce pays où l'odeur de renfermé et les relents de l'empire flottent encore dans les coins.

---

1. Ahasvérus : nom du Juif errant.
2. Devětsil : littéralement, « neuf forces »; c'est aussi le nom d'une plante médicinale, le pétasite.

Schaffgotsch voudrait adhérer au groupe Devět-sil. Dès que Milena s'est un peu réacclimatée à Prague, il la presse de lui en négocier l'accès par tous les moyens. A ma connaissance, la chose ne s'est jamais faite. Milena a-t-elle même tenté la démarche? Les membres du Devětsil n'ont-ils pas voulu de Schaffgotsch? Je l'ignore. Je ne sais pas non plus si le comte resta à Prague après sa rupture avec Milena, ou s'il regagna Vienne pour prêcher ses convictions prolétariennes à la noblesse viennoise. Milena ne m'en a jamais touché mot. Il est vrai qu'à partir du moment où ses souvenirs sont liés à Devětsil, ils le sont aussi à Jaromír Krejcar. Schaffgotsch s'évanouit de son souvenir comme une fumée. Il a sans doute dû disparaître de sa vie avec la même discrétion. A moins, tout simplement, qu'elle ne l'ait oublié quelque part...

*

L'enthousiasme et l'immense énergie déployée par Milena lors de son arrivée à Prague ne tardent pas à porter leurs fruits. Dans *Národní Listy*, elle dirige une rubrique : « La femme et son foyer. » Pour cette rubrique, elle recrute comme collabora-trices d'anciennes Minervistes et quelques-unes de ses amies pragoises d'antan. Les aventures viennoi-ses de Milena et ses aventures antérieures n'ont évidemment rien fait pour arranger sa réputation au pays, mais ces vieux ragots perdent de leur piment quand Milena reparaît sur le devant de la scène, une Milena rayonnante, dans le plein éclat de sa beauté. Ajoutons qu'elle a du succès. Ses articles marchent bien. Les anciennes histoires tombent pour un temps aux oubliettes.

A côté de sa rubrique dans *Národní Listy*, Milena poursuit son œuvre de traductrice. Elle crée une collection enfantine, « Dětská četba » (« Lectures enfantines ») dont la première publication est sa propre version tchèque du charmant livre anglais *Peter Pan et Wendy*.

Ce livre, je l'avais jadis à la maison. C'était un gros volume écrit en anglais : seul le premier tome a paru en tchèque. Il y avait de superbes illustrations. J'avais beau ne pas comprendre un traître mot d'anglais, je passais des heures entières à feuilleter ce livre quand Milena et Evžen étaient sortis et que je pouvais laisser libre cours à ma fantaisie.

L'une de ces images représentait Peter Pan dans la salle de bain. Il était en train de coller son ombre à son talon à l'aide d'un morceau de savon, parce que l'ombre ne voulait pas rester accrochée à son pied. Mon plus grand désir était de rencontrer quelqu'un dont l'ombre refuserait de rester à sa place pour voir si l'on pouvait vraiment le mettre au pas avec du savon.

On y voyait aussi des enfants qui regardaient le monde avec la tête entre les jambes pour faire reculer une meute de loups, mais moi, je n'ai jamais rencontré une vraie meute de vrais loups si bien qu'encore aujourd'hui j'ignore s'ils pourraient vraiment être mis en fuite de la sorte.

Et puis, autour de Wendy voletaient de minuscules lutins aux ailes de libellule. Comme je l'enviais ! J'étais très malheureuse de ne pas être belle, au moins un peu, pas autant que Wendy peut-être, mais juste assez par exemple pour mériter l'attention ne serait-ce que d'un petit lutin aux ailes transparentes...

Bref, ce livre était magique. Une fois de plus, Milena avait eu la main heureuse. Seulement, pour des raisons qui me sont inconnues mais qui sont sans doute très tristes, la traduction n'a jamais été achevée. L'imprimeur a-t-il manqué de papier ? La censure n'a-t-elle pas voulu d'un Peter Pan dépourvu de son ombre ? Quant à l'unique volume paru, je ne l'ai retrouvé ni à la bibliothèque universitaire ni à celle de la ville, dans la section réservée à la littérature enfantine. Et la collection s'arrêta à cette unique publication.

Ce qui vit bel et bien le jour, c'est un livre de recettes. Ce livre, épuisé sitôt sa sortie, compte parmi les succès de ma mère. Publié en 1925, il s'intitulait *Les Recettes de Milena*. Là encore, c'est l'amie de Milena qui me l'a appris, car mes yeux n'ont jamais vu cet ouvrage pour le moins éphémère, et Milena elle-même ne m'en a jamais parlé.

Je crois avoir le droit de dire que Milena savait écrire. Elle savait aussi faire beaucoup d'autres choses. Mais – pour autant que je m'en souvienne et ma mémoire est ici infaillible – je ne l'ai jamais vue cuisiner sans qu'il s'ensuive une catastrophe. Tantôt elle se brûlait en sortant un plat du four à mains nues – et ce plat, Mánička l'avait préparé et mis à cuire pour elle. Tantôt quelque chose était perdu, répandu, cassé ou du moins suffisamment gâché pour que la préparation du déjeuner ne puisse être achevée. Le soir, Milena se contentait généralement de servir du saucisson avec une salade achetée toute prête; elle disposait le tout dans des assiettes qu'elle plaçait dans le buffet. Chacun se servait quand il avait faim. Par conséquent, que l'on ne m'en veuille pas : ce livre de cuisine écrit par Milena relève pour moi d'un mystère pour le moins ténébreux.

En 1926, en revanche, un recueil de ses chroniques sortit des presses sous le titre *Le Chemin de la simplicité*. Il s'agit d'une mince plaquette regroupant quelques articles triés sur le volet, que Milena a dédicacée à son père. On y retrouve une deuxième version de l'incident entre Kafka et une mendiante : pour éviter ses remerciements « effusifs », le jeune Franz ne voulait pas donner à cette mendiante une grosse pièce de vingt hellers en une fois. Il alla donc faire la monnaie et lui distribua cette somme au compte-gouttes, kreutzer par kreutzer. Il allait faire le tour du pâté de maisons entre chaque kreutzer et, lorsqu'il arrivait à l'angle où se tenait la mendiante, il lançait la piécette dans son bonnet tendu.

Voilà une anecdote que Milena a relatée à deux reprises, à chaque fois avec une conclusion différente. Le premier texte date de 1921. Il est donc antérieur à la mort de Kafka. En voici la fin : « ... Il était, c'est entendu, épuisé, au physique comme au moral, mais cet épuisement a engendré une angoisse prosaïque, le doute, le regret. En fin de compte, il pleura si longtemps qu'on lui remplaça ses dix kreutzers. Sans doute ne pouvait-il supporter que son exceptionnelle bonté restât sans récompense. »

La seconde fois, deux ans après la mort de Kafka, la même histoire s'achève par ces mots : « Je crois que c'est là le plus beau conte que j'aie jamais entendu et j'ai décidé de ne jamais l'oublier[1]. »

Ces deux versions sont probablement conformes à la vérité. Kafka en confirme lui-même la première dans une lettre à Milena, en même temps qu'il lui explique l'incident dont elle a elle-même été témoin, quand il avait deux couronnes et ne voulait en donner qu'une : « ... en ce qui concerne la mendiante, il n'y avait sans doute dans ce que j'ai fait rien de bien ni de mal, j'étais simplement trop distrait ou trop occupé par quelque pensée pour pouvoir régler mes actions sur autre chose que de vagues souvenirs. Et l'un d'entre eux dit par exemple : " Ne donne pas trop aux mendiants, tu le regretterais ensuite ". »

Et Kafka de raconter lui-même l'histoire de la pièce de vingt hellers donnée à la mendiante kreutzer par kreutzer, ponctuant ainsi chaque tour du pâté de maisons : « ... en tout cas à la fin j'étais si

1. Cité par M. Buber-Neumann, *op. cit.*, p. 86.

Milena en 1930 avec sa fille Jana et Staša Fleischmann, enfant

Milena, à vingt et un ans

Kafka à l'époque où il connut Milena

Milena et son mari Jaromir (1926)

Milena, avec son amie Staša
et son mari

Milena et son amie Staša Jilovská (allongée)
et ses deux filles Olga et Staša

Ernst Pollack (1938)

Jaromir Krejcar (dans les années 40)

V

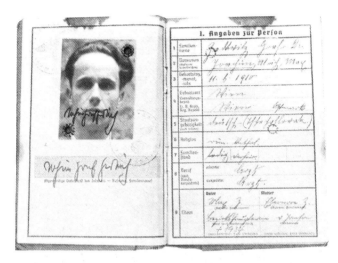

Passeport militaire de Joachim von Zedtwitz

L'automobile (Aero, 2 cylindres) ayant servi à la fuite

Jana, Staša et Olga, sur les hauteurs de Prague

Milena Jesenska peu avant son arrestation (1939)

épuisé, même moralement, que je rentrai au plus vite et pleurai jusqu'à ce que ma mère m'eût remplacé mes dix kreutzers. Tu vois, je n'ai guère de chance avec les mendiantes, mais je me déclare prêt à verser lentement tout mon avoir présent et à venir en petites coupures de Vienne (les plus petites qui puissent exister) entre les mains d'une mendiante de l'Opéra, à condition que tu sois là et que je puisse sentir ta présence[1]. »

Le second récit, celui où Milena s'abstient de préciser que la pièce a été remplacée, traduit sa propre vérité. Celle-ci nous révèle Kafka tel qu'il existe dans la mémoire de Milena, tel qu'elle aurait sans doute souhaité le voir de son vivant.

A l'époque où paraît *Le Chemin de la simplicité*, Milena entreprend de collaborer à *Pestrý Týden (Les Variétés de la semaine)*. Collaboration éphémère, mais dont elle parlera souvent, et volontiers.

Elle assure la rédaction de *Pestrý Týden* en commun avec son amie de lycée Staša Jílovská et le peintre-caricaturiste V. H. Brunner qui ne cesse de la bombarder de ses croquis complétés de légendes. Il les abandonne sur le bureau de Milena et celle-ci les amasse, en dépit de leur multiplication.

Nous avions chez nous un de ces dessins humoristiques. Il représentait Brunner à genoux, la tête couronnée d'immenses bois, dignes du plus beau cerf royal.

D'ailleurs, V. H. Brunner était encore un de ces hommes que Milena savait être prématurément condamnés. Il avait quelque chose aux poumons, une tuberculose, un cancer? je ne sais plus. Il mourut en 1928. Quoique brève, la notice nécrologique de Milena exprime tant de pitié pour lui qu'elle m'émeut encore, après tant d'années.

1. Franz Kafka, *op. cit.*, p. 141-142.

Mais cette notice me fait aussi et surtout prendre conscience d'un trait particulier à ma mère, aussi caractéristique d'elle que ses yeux bleus ou ses cheveux ondulés : je veux parler du nombre de gens qu'attirait vers Milena leur besoin de puiser chez elle la force de vivre. Voici à peu près de quel mécanisme ressort un tel phénomène d'attraction : il est des gens qui, dès la première conversation, vous livrent la nature de leurs problèmes avec leur femme ou leur mari, les qualités et les défauts de leurs enfants, leurs soucis existentiels et l'état de leurs finances, sans parler de celui de leur foie ou de leur vésicule. Je n'ai rien là contre. Ces gens sont plus ou moins inoffensifs. On ne saurait leur reprocher leur besoin de se confier. C'est chez eux un besoin diffus qui s'adresse à tout auditeur complaisant. Ils appartiennent à la race des Kukulín[1] et se contenteraient de murmurer leurs confidences au creux d'un vieux saule, à défaut d'une oreille compatissante. A vrai dire, ils préféreraient peut-être même le saule, car il ne les interromprait jamais.

Il est d'autres gens que l'on côtoie des années durant sans savoir avec précision s'ils sont célibataires ou chargés de famille, sans qu'on puisse se faire la moindre idée de leurs revenus. Lorsque ces personnes abandonnent leurs monosyllabes accoutumés, c'est pour parler de tout, excepté d'eux-mêmes et de leur vie privée.

Existe enfin une troisième sorte d'individus : ceux-là traînent avec eux où qu'ils aillent le fardeau de leurs complexes et de leurs soucis, cherchant en vain un dépositaire digne de confiance. Ils ne se contentent pas de s'en décharger sur le dos d'autrui. Leur donataire se doit d'être plus qu'un récepteur passif, il doit se montrer capable d'apprécier à sa juste valeur la charge dont on le

---

1. Kukulín : barbier du roi Lávra aux oreilles d'âne, personnage d'un poème classique tchèque.

gratifie. Car seul un tel dépositaire saura ce qu'il convient de faire du paquet, il saura éventuellement en alléger quelque peu le poids. Le pire en l'affaire c'est que le propriétaire du fardeau sait parfaitement que personne ne peut l'aider s'il ne s'aide lui-même. Et, la plupart du temps, il n'a plus assez de forces pour se dégager de l'avalanche qui l'accable, maladie, complexes, infidélité conjugale ou manque d'argent. Il connaît fort bien la loi, cette loi impitoyable qui ne souffre aucune exception : nul ne peut rien pour qui est abandonné de ses forces. Pourtant, il ne peut se plier à cette loi. Quoi de plus normal ? Il perdrait alors tout espoir. Si même une fourmi ne peut vivre sans espoir, que dire d'un être pensant ?

Une espèce de magnétisme propre à Milena attirait vers elle cette sorte de gens. Elle était créée et mise au monde pour soulager, au moins le temps de quelques pas, le propriétaire de ces encombrantes valises. Elle allait au-delà : elle permettait toujours à ces hommes chargés de fardeaux de s'appuyer sur ses propres forces. Je pense même qu'elle avait besoin, pour vivre, de savoir qu'elle ne portait pas seulement son propre balluchon, mais qu'elle prenait à sa charge une part de cette pesante responsabilité de vivre que son prochain ne pouvait assumer.

En retour, elle était heureuse d'être source de bonheur. Au risque d'induire en erreur les gens à qui cela ne suffisait pas et qui espéraient beaucoup plus d'elle : qu'elle les maintienne en vie.

Elle ne pouvait à la fin que prendre peur. La charge était excessive. Milena se voyait incapable de faire face à ses engagements et de donner ce que l'on attendait d'elle. Non par mauvaise volonté. Mais parce que cela dépassait les forces humaines.

V

> « Ce que j'écoute ne vaut rien;
> il n'y a que ce que mes yeux
> voient ouverts, et plus encore,
> fermés. »
>
> Giorgio de Chirico.

En 1926 – je ne crois pas me tromper sur la date –, Milena fait la connaissance de Jaromír Krejcar, architecte et membre du groupe Devětsil : son prochain grand amour.

Ce jour-là, le groupe Mánes organise une sortie à laquelle participent un grand nombre d'artistes plasticiens ainsi que d'autres invités. On remonte la Vltava sur un bateau à vapeur. On chante, on danse et on discute. Milena ne tarde pas à attirer l'attention. Elle sait tenir son public en haleine, elle a le sens de l'humour et sait se montrer, à l'occasion, auditrice attentive.

Du soir jusqu'aux petites lueurs de la nuit, Krejcar ne la quittera pas d'une semelle. D'ailleurs Milena non plus ne cherche pas à le quitter. Ils s'entendent sur tout, parfaitement. Et si d'aventure ils ne sont pas du même avis, alors leurs opinions se complètent.

Krejcar a trente et un ans. Il ne ressemble en rien aux hommes que Milena a connus à Prague lors de ses débuts, puis à Vienne, et depuis son retour à Prague. Cette différence séduit Milena : sa manière de danser, le timbre de sa voix, son discours – tout en lui l'enchante.

Ce soir-là, disons que c'est le coup de foudre réciproque.

L'un et l'autre sont pour le moins irresponsables – si on peut qualifier ainsi deux personnes qui, décidant de passer la soirée dans les montagnes, louent aussitôt un taxi et s'en vont vers le mont Špičák, sans se préoccuper ni de l'état de leurs finances, ni du prix de la course. Est-ce de l'irresponsabilité? Est-ce autre chose? C'est en tout cas la capacité de prendre une décision, même extravagante, sur-le-champ. C'est le don de pouvoir tout oublier pour peu qu'on ne quitte pas l'être aimé.

Milena n'attendait que cela. Après l'indécision d'un Kafka au sens des responsabilités tellement hypertrophié qu'il considérait le travail de bureau plus important qu'une rencontre avec la femme aimée – chose, soit dit en passant, que Milena refusa toujours et lui demeurera inconcevable encore longtemps après la mort de Kafka –; après un Ernst si peu attentionné qu'auprès de lui Milena se sentait plus minable qu'un meuble, Jaromír est une bouffée de fraîcheur. Avouons-le : Milena n'espérait plus une pareille chance.

Jaromír est né à la campagne. Il est le fils unique d'un garde forestier. Il a grandi dans les bois, parmi les arbres, les animaux, les fleurs. Il connaît toutes sortes de plantes sauvages. Il imite le chant des oiseaux. Il sait où fleurit le caltha des marais et où trouver ces colchiques violets aux tiges d'un blanc maladif que Milena aime tant.

Mais le père de Jaromír est mort prématurément et le garçon est resté seul avec sa mère. A vrai dire, il était déjà seul avec sa mère du vivant du garde forestier qui passait le plus clair de son temps dans les bois. Quand le hasard l'envoyait ailleurs, c'était à n'en pas douter au café du village. Il jugeait indigne d'un homme qu'il reste chez lui, et le dernier de ses désirs était de vivre accroché aux jupons de sa femme.

Une fois, un peu éméché, il fut pris de sollicitude conjugale : il envoya un chasseur prévenir sa femme qu'il rentrerait un peu tard. Mais ma grand-mère n'était guère accoutumée à de tels égards. Terrifiée par le bruit des pas qui se rapprochaient, elle décrocha un fusil de chasse et larda le malheureux messager de tous les plombs que contenait l'arme.

Jaromír grandit entre la forêt et la maison forestière. Comme la plupart des hommes nés à la campagne et élevés par une femme, il y gagna cette finesse particulière, cette sensibilité, difficile à cerner, mais qui frappait tous ceux, ou presque, qui l'approchaient.

Après la mort de son mari, Mme Krejcarová mère vint s'installer à Prague. Elle obtint une licence de commerce et ouvrit boutique. Son idée était que son fils étudie, qu'il devienne quelqu'un. Pour cela, il fallait de l'argent. Du temps de l'empereur[1] et même encore par la suite, les licences octroyées aux citoyens désireux d'ouvrir un commerce permettaient de vendre à peu près n'importe quoi : des œufs, des bonbons, des eaux minérales, des limonades, des carrosses, des landaus, des terrains...

Ma grand-mère, elle, s'en tint aux confiseries. Elle s'installa rue Spálená et réussit tant bien que mal à payer les études de son fils, les bonbons, les chocolats et le Bon Dieu aidant.

Jaromír opta pour les Beaux-Arts. Il y entra, en omettant d'informer sa mère sur la durée probable des études.

Ma grand-mère, pour sa part, jugeait qu'une année était largement suffisante pour permettre à son fiston de devenir quelqu'un. Jaromír n'osa la

---

1. Il s'agit de l'empereur François-Joseph Ier (1830-1916).

détromper. Il attendit les événements, à la grâce de Dieu.

Un an se passa, et Jaromír n'avait toujours pas en poche son diplôme d'architecte des Beaux-Arts. D'abord, la vieille dame versa quelques larmes : son fils n'était donc pas aussi intelligent qu'elle le croyait! Ensuite, elle choisit la plus belle bonbonnière de sa boutique, l'enveloppa et se rendit à l'Académie. Soit, son fils était un propre-à-rien, mais les professeurs n'oseraient peut-être pas chasser une pauvre veuve et son petit cadeau.

Elle se présenta aux Beaux-Arts, fit appeler M. le professeur et, d'un air décidé, lui pressa le paquet dans les bras : « Veuillez, je vous en prie, pardonner à une vieille femme, mais si mon fils devait redoubler son année, je ne le supporterais pas. Je sais que c'est un feignant. Pourtant, il a certainement quelques dons. Je promets d'y veiller : il rattrapera le soir tout ce qu'il n'a pas appris. Pourvu seulement qu'il ait son diplôme! Il en a besoin pour gagner un peu sa vie. Je suis une pauvre veuve sans ressources... »

Loin de redoubler son année, Jaromír était un étudiant très doué et plein d'avenir. Sa mère se calma un peu lorsque cela lui fut devenu clair. Mais elle fut consternée d'apprendre combien d'années l'attendaient encore avant que Jaromír fût capable d'exercer. En fin de compte, elle serra les dents, elle prit une nouvelle sous-locataire et continua de se saigner pour son fils.

A la différence de Milena, Jaromír avait été entouré d'amour depuis son enfance. Certes, l'adoration maternelle était un peu étouffante par moments, mais du moins n'avait-il pas été livré à lui-même. Et comme il n'avait pas grandi dans le luxe, la dévotion de sa mère n'était pas parvenue à le gâter. En revanche, ses jeunes années lui avaient donné une vision réaliste des choses de la vie et de tout ce qui cause, à mesure que passent les années, tellement de tracas et de tourments aux jeunes citadins.

Ce qui attirait Jaromír chez Milena, c'était tout ce qui lui faisait défaut : l'hyper-intellectualité de sa vision du monde et de sa façon de s'exprimer éveillait en lui je ne sais quel étonnement – il n'avait jamais rien vu de pareil chez une femme. L'allure même de Milena, très mondaine alors, le charmait. Elle était belle. Pour séduire l'artiste qu'il était, les critères esthétiques ne devaient-ils pas être respectés ?

Au moment de leur rencontre, Krejcar fréquente pourtant une jeune fille. Mais ils ne s'entendent guère et leur liaison est sur le point de se rompre. Milena, qui aurait craint d'être la cause de leur rupture, tenta paraît-il de les réconcilier. Elle y réussit tant et si bien qu'elle finit par épouser Krejcar.

Cette fois-ci, ce fut avec la bénédiction de leurs parents. Le professeur Jesenský était tellement ébahi de voir sa fille lui présenter enfin un homme qui n'additionnât pas tout ce qu'il considérait comme les pires indignités qu'il ne songea même pas à protester. Et la vieille Mme Krejcarová n'osa rien dire, bien qu'elle eût du mal à accepter de voir Jaromír appartenir à une autre femme qu'elle-même.

Avec toute sa science d'architecte et tout son amour pour Milena, Jaromír transforme l'appartement de la rue Spálená. La maison en devient si agréable à vivre que les premières querelles entre Milena et la vieille dame restent absolument bénignes. Et puis, voici Milena enceinte. Tous ses désirs sont maintenant comblés. Elle est heureuse d'attendre un enfant. Elle voit en rose son avenir auprès de Krejcar. Elle se réjouit par avance de tout ce que la vie lui réserve. Elle écrit, elle traduit à tour de bras. Elle-même dira plus tard que, pour la première et la dernière fois de sa vie, elle a connu à ce moment-là un bonheur total, un bonheur sans ombre.

*

Les premiers mois de la grossesse se passent tant bien que mal. Pourtant, Milena supporte difficilement son état. Elle fait de son mieux pour dissimuler son malaise. Elle continue à travailler. Elle se fait une joie de cet enfant à venir.

Elle cesse de collaborer à *Pestrý Týden* et se remet à écrire pour *Narodní Listy*. Elle traduit sans discontinuer. Elle soutient Jaromír dans son effort d'intéresser le public à l'aménagement de l'espace intérieur. Bien sûr, elle est attentive à tout ce qui concerne l'enfance; elle discourt sur le budget à prévoir lorsqu'un nouveau petit homme est en route. Avec l'approche de sa maternité un ton nouveau s'insinue dans ses articles.

Rue Spálená, le couple s'entoure de nombreux amis. Les membres du Devětsil passent souvent. Une fois, le grand F.X. Salda[1] lui-même se met en tête de leur rendre visite. Il faut pratiquement le porter dans le vétuste escalier en colimaçon : il n'est plus très jeune et sa santé laisse à désirer.

Au printemps, Milena décida de faire un séjour à la montagne, malgré son état de grossesse avancée. C'était un geste absurde, un de ces gestes de pur panache qu'elle-même estimait inutiles et insensés. Mais il fallait qu'elle se prouve à elle-même et qu'elle prouve en même temps à Jaromír que tout allait pour le mieux, qu'elle était toujours la Milena d'antan, pleine de santé, souple, mobile. En skiant, elle se cassa la jambe. Il fallut la transporter d'urgence à Prague, à l'hôpital. Elle dut y rester jusqu'à l'accouchement. Trop de choses s'ajoutant

---

1. F.X. Salda (1867-1937) : professeur à l'Université Charles, critique littéraire et artistique, humaniste et maître à penser de plusieurs générations. Fondateur, notamment, du magazine *Tvorba*.

les unes aux autres, on craignait le pire et pour elle, et pour l'enfant.

Enfin, après plusieurs mois de lit suivis d'un accouchement difficile et douloureux, l'enfant fut mis au monde. Durant les trente-deux heures que dura le travail, Milena ne cessa d'espérer un garçon. Mais c'est moi qui arrivai. Le bébé que j'étais vint au monde les deux poings serrés. Plus tard, Milena me demandera souvent à qui ou à quoi je voulais venir en aide en crispant ainsi les mains.

Mais Milena ne recouvra pas la santé avec ma naissance, tant s'en faut. Ma mère resta hospitalisée plusieurs mois. Pendant longtemps, sa vie fut suspendue à un fil.

Son père vint lui proposer de se charger de sa petite-fille si le malheur voulait qu'elle fût incapable de le faire elle-même. Milena refusa. Pour la première fois de sa vie, elle dit au docteur Jesenský tout ce qu'elle avait sur le cœur depuis tant d'années. Elle l'assura que, plutôt que de lui confier son enfant, elle préférerait le noyer de ses propres mains comme un chiot.

Même lorsqu'on cessa de craindre pour sa vie, la question de sa jambe malade resta entière. Petit à petit, on dut préparer Milena à apprendre la vérité : elle serait infirme pour le restant de ses jours. Le genou droit demeurerait complètement raide. En décembre, quatre mois après l'accouchement, les médecins tentèrent une fois encore de faire plier l'articulation. La douleur fut effroyable. Une seule chose permit à Milena de la supporter : la morphine.

En fin de compte, tout échoua et Milena resta boiteuse. L'unique résultat de ces soins, c'est qu'elle s'accoutuma à la morphine. Elle restera toxicomane jusqu'en 1938.

Entre-temps, l'équipe de collaboratrices qu'elle avait réunie s'est dispersée. Milena passe de

Národní Listy à *Lidové Noviny (Le Journal populaire).*

Mais sa morphinomanie mine également ses rapports avec Jaromír, déjà fort abîmés par le cours naturel de sa maladie. Jaromír vient souvent la voir à Piešťany où elle est en cure. Il en arrive à lui acheminer de la morphine par avion : lorsqu'elle tente de s'en passer, elle tombe dans un état épouvantable où elle ne se connaît plus elle-même.

L'accoutumance est désormais trop forte pour céder à un simple effort de volonté.

Voilà comment, dans l'espace d'une année, cette belle femme pleine de vie est devenue une épave lamentable. De son mariage heureux, il ne reste qu'une relation névrotique entre deux êtres dont les conflits ne connaissent plus de bornes et confinent par moments à la folie.

A trente-deux ans, Milena fait ses comptes : elle a désormais pour seuls atouts son intelligence et son expérience. Il lui reste aussi une fille, insondable comme le sont tous les nouveau-nés. Elle s'y attache avec toute la violence dont le reste de ses forces est encore capable.

*

La guérison se poursuit avec une lenteur extrême. Milena s'habitue mal à marcher la jambe raide. De surcroît, elle ne cesse de souffrir. Sans enthousiasme, elle écrit pour *Lidové Noviny*. Elle n'arrête pas de se plaindre : rien ne semble satisfaire la rédaction de ce journal. Les lecteurs provinciaux, surtout, trouvent les articles de Mme Milena trop osés. Un de ces articles est un essai sur la toxicomanie : il provoque un tollé parmi le public provincial. Milena doit quitter le journal.

Lorsque Jaromír achève la construction de l'Union des employés indépendants, avenue Francouzská, nous y emménageons : toute la famille s'installe au dernier étage de l'immeuble. L'appartement se trouve d'un côté, le cabinet d'architecture de l'autre. C'est un lieu magique. Un balcon le ceinture de tous côtés et il est surmonté d'un toit plat dont nous avons la jouissance. Les pièces sont grandes, les fenêtres occupent toute la surface des murs. Bref, c'est un cadre de rêve pour Jaromír comme pour Milena.

Milena écrit pour le magazine *Žijeme (Nous vivons)*. Karel Teige[1] devait en assurer la rédaction, on le remercie au dernier moment : ses idées sont jugées trop à gauche. Pendant quelque temps, Milena occupe la fonction de rédactrice en chef. Puis elle est à son tour cataloguée comme trop radicale.

Je me rappelle l'avenue Francouzská. Encore que mes propres souvenirs s'y joignent à ceux des amis de Milena pour former un puzzle bizarre, rempli des plus étranges contradictions.

Milena avait du travail à ne savoir où donner de la tête. D'autre part, elle n'était pas toujours guérie. Elle engagea donc une bonne pour s'occuper de moi. Cette bonne entra en fonction munie des insignes propres à son emploi : voile bleu à bandeau blanc, comme c'était la règle pour les nurses diplômées.

Pendant quelque temps, tout marcha comme sur des roulettes. Vlastička – c'était le nom de la bonne – m'emmenait promener dans le parc et s'entendait parfaitement avec Milena. Jusqu'au jour fatal où ma mère, manquant d'argent pour la payer, l'envoya porter sa machine à écrire au mont-de-piété. Ce fut une scène épouvantable. Vlastička résistait bec et ongles à pareille humiliation. Ne défendait-elle pas son honneur en même temps que

1. Karel Teige (1900-1951) : un des maîtres à penser de l'avant-garde tchèque, cofondateur du groupe Devětsil.

celui de son uniforme? C'est tout juste si elle ne rendit pas son tablier sur-le-champ. Pour finir, la volonté de Milena vint à bout de sa détermination. Vlastička se rendit effectivement chez le prêteur sur gages, mais après avoir quitté son voile de nurse. En peu de temps, Milena en fit une communiste convaincue et sa discipline politique resta inébranlable alors même que ma mère avait depuis belle lurette envoyé la sienne à tous les diables.

Evidemment, Milena ne laissait pas le soin de mon éducation à la seule Vlastička. Elle intervenait chaque fois qu'elle trouvait à redire à ma conduite, s'il y avait conflit ou si j'étais malade.

Elle s'aperçut un jour que j'étais peureuse et que je ne voulais pas sauter d'une certaine hauteur. Les fenêtres de la grande pièce étaient bordées de larges étagères de béton sur lesquelles on grimpait facilement et qui supportaient mon poids. Pour rien au monde, je ne me serais décidée à sauter de là. Ma peur agaçait Milena. Une telle conduite lui déplaisait au plus haut point. Elle ne voulait pas d'une fille froussarde, et elle décida de m'apprendre à sauter. Elle prit un drap, m'assit sur le rebord en béton, me donna deux coins à tenir et prit les deux autres dans ses mains.

« Maintenant, tu n'as quand même pas peur de sauter », me raisonnait-elle. J'avais toujours aussi peur et la patience de Milena avait des limites. D'un coup sec, elle tira le drap vers elle. Je tombai. Je me cassai le coude. Ce fut la panique. On se précipita pour m'emmener à l'hôpital. Au retour, on me gava de toutes les bonnes choses que j'aimais. Surtout, à partir de ce jour, personne ne me pressa d'être courageuse.

Depuis sa maladie, Milena nourrissait une répulsion indescriptible à l'égard de la gent médicale. Elle refusait elle-même de consulter les docteurs. Elle refusait tout aussi fermement de me confier à leurs soins. Quand j'attrapai la scarlatine, Milena fit le vide dans la maison. Elle me soigna toute seule pour m'éviter l'hôpital. Plus tard, j'eus une infection de l'oreille moyenne. Le docteur préconisa une paracentèse, mais ma mère, sous sa propre responsabilité, exigea un délai de deux jours. Elle s'installa auprès de moi, m'appliquant d'heure en heure des compresses fraîches d'acétate d'alumine. Elle fit si bien que l'abcès creva de lui-même et le pus s'écoula sans intervention chirurgicale.

Je me souviens des chats qui vivaient à la maison. C'étaient les protégés de Milena. Ils traînaient du toit au balcon. Ils se vautraient sur le disque de feutrine verte du gramophone et sur le lit, près de la tête de Milena. Ils avaient tous les droits. Ils faisaient leurs besoins dans une litière de papier froissé qui tenait lieu de sciure. Un beau jour, l'un d'eux s'aventura dans le bureau de mon père. Il y froissa quelques plans qu'il arrosa d'une petite flaque. Ce jour-là, papa s'est mis en colère. Il a attrapé le chat et l'a précipité par-dessus le balcon. Après quoi il fut obligé de descendre le récupérer sur le toit de la maison voisine où le chat avait abouti. Et Milena lui prodigua tant de soins qu'il retrouva vite toute sa forme.

J'avais, sur le toit en terrasse, mon tas de sable pour jouer. Je possédais ma propre douche et j'avais une bonne à titre personnel, ce qui n'empêchait aucunement Milena de travailler pour le parti communiste. Ces choses semblaient aller de soi, à l'époque. Je ne pense pas qu'elles aient jamais empêché personne de dormir, pas plus Milena que ses amis ou camarades. Bien au contraire : il leur arrivait souvent de faire appel à la générosité de ma mère. Cela ne posait pas trop de problèmes, grâce à sa bonne situation matérielle du moment, et Milena les aidait toujours volontiers. Un jour, il fallait de l'argent. Un autre, on hébergeait un sans-abri. Un petit garçon russe du nom de Petr habita longtemps chez nous. Sa mère, morte d'appréhension, nous l'avait apporté dans ses bras. Elle avait catégoriquement interdit à Milena de le baigner et même de le laver, au risque d'une mort certaine pour l'enfant. On devait se contenter de le frotter avec du saindoux ! Milena promit solennellement. Mais dès que la mère eut tourné les talons, Petr fut précipité dans une baignoire remplie d'eau savonneuse, frotté de pied en cap, après quoi il eut droit à une dose de vitamines à faire pâmer sa pauvre mère. Au bout de quelques semaines, l'enfant aurait pu poser pour une réclame de Nestlé. Il prospérait à vue d'œil et sa mère resta longtemps persuadée que Milena appliquait à la lettre ses directives.

Entre Milena et Jaromír les rapports étaient devenus intenables. Rien ne pouvait arranger les choses. C'est ainsi que papa partit pour l'Union soviétique. Peu après, nous quittions à notre tour la rue Francouzská.

VI

« Mais qui est l'homme? Celui qui doit témoigner par ce qu'il est. »

HEIDEGGER.

LE déménagement d'un vaste appartement vers un logement plus petit s'accompagne toujours de la liquidation de tout un fatras d'objets brisés ou laissés sur place faute de pouvoir les emporter avec soi.

Une énorme caisse trône au milieu de la grande pièce : on y jette tout ce qui doit rejoindre la poubelle. Je me tiens devant cette caisse. J'y précipite un à un des disques de gramophone. Les disques se brisent contre le rebord de la caisse comme s'ils explosaient, et ce bruit me ravit. Milena me regarde faire quelques minutes. Puis elle me demande pourquoi je ne jette pas tous les disques à la fois. Je ne sais que lui répondre. Il me plaît simplement de fracasser ce qui, jusqu'ici, a fait partie de notre univers et de faire durer le plaisir.

Beaucoup plus tard, Milena m'avouera que ce jour-là, elle avait pour la première fois été saisie de peur devant cet être qu'elle avait mis au monde et qui pensait et réagissait si différemment d'elle. Sans doute même à l'opposé de ce qu'elle aurait aimé.

112

A dire vrai, ma mère ne quittait cet appartement qu'à contrecœur et avec mille regrets. Il lui était plus difficile encore de se séparer de bien des choses. Sans avoir un instinct de propriété particulièrement développé, elle vouait à ses affaires un étrange attachement. Elle parlait avec les choses, dialoguait avec ses objets familiers. Elle entretenait avec eux des rapports presque aussi chaleureux qu'avec ses animaux, dont notre maison était généralement pleine.

Un divorce à distance précéda le déménagement. Pourtant, lorsque nous nous installâmes dans notre nouvelle maison, nous étions à nouveau trois : Milena, Evžen Klinger et moi.

L'appartement n'était pas très grand : il se composait d'une chambre avec cuisine. Il était situé à Vinohrady, dans la cité nouvelle de Horní Stromky près d'Olšany.

Milena se lance à corps perdu dans le militantisme. Elle travaille pour le parti avec l'enthousiasme qui la caractérise en tout. Elle collabore à *Tvorba (Création)*; elle fait partie de la rédaction de *Svět Práce (Le Monde du Travail)*. Elle se tue à l'ouvrage. Elle est infatigable. A plusieurs reprises, elle se met avec Evžen dans des situations si litigieuses qu'il doit se cacher. Plus d'une fois aussi, des camarades momentanément en butte à des poursuites viennent passer la nuit chez nous lorsqu'ils n'ont pas d'autre cachette. Milena ne proteste jamais. Elle est toujours prête à accueillir sous son toit qui la sollicite.

Les mois qui suivent constituent une courte période de foi intense et absolue. Milena adhère au communisme de toute son âme. Elle met une foi totale dans tout ce que cette conviction entraîne avec elle : elle croit dur comme fer que le communisme est la seule voie juste; elle est profondément convaincue que seule la révolution est à même de résoudre tous les problèmes mondiaux; elle est prête à contribuer à cette révolution de toutes ses forces et jusqu'à leur épuisement.

Ses réserves à l'égard de certains procédés et de certains postulats du parti, Milena les intègre à son idéal de communiste; elle agit en conséquence : elle les exprime ouvertement et elle entend remédier sur-le-champ à tout ce qui lui paraît entaché de faute.

De nos jours, tout cela paraît pour le moins idéaliste. Le recul du temps et les nombreuses expériences que nous venons de vivre en font ressortir l'irréalisme – d'ailleurs, cette attitude était déjà irréaliste à l'époque. Mais là n'est pas l'important pour moi. Je veux dire quelque chose de plus fondamental, quelque chose qui est indispensable pour comprendre la suite des événements : durant ces années, son activité politique a représenté pour Milena une véritable vocation. Jamais, elle ne l'a traitée à la légère. Jamais, elle n'a fait preuve d'irresponsabilité. Pour elle, une seule voie pouvait conduire vers un ordre mondial raisonnable, humain et juste, et cette voie était celle du communisme.

Par la suite, on a accusé ma mère de toutes les hérésies possibles et imaginables. En premier lieu, on l'a taxée de trotskisme, une déviation qui, dans la phraséologie du parti d'alors, équivalait à quelque chose d'aussi grave que la damnation éternelle pour un chrétien. C'était un péché mortel. Celui qu'on qualifiait de trotskiste devenait pour ses camarades du parti aussi inapprochable qu'un pestiféré ou un épileptique.

Peu importe qu'on ait manié cette épithète (et tant d'autres) avec une prodigalité frisant la désinvolture. Il s'agit de savoir si la foi en une révolution mondiale, jointe à la conscience des conséquences effrayantes qui s'ensuivraient d'un partage du monde en deux camps ennemis, était tellement hérétique par rapport à l'orthodoxie communiste du jour. Et par-là d'accepter oui ou non que l'on contraigne un être pensant à s'aveugler sur les retombées d'une révolution limitée à un seul pays, et qu'on le contraigne à ne pas s'inquiéter de la véritable castration que l'on faisait ainsi subir à son idéal de communiste.

Pour sûr, Milena n'était pas de ces gens qui tiennent une autorité quelle qu'elle soit pour absolue. Or c'est justement ce que le parti exigeait de ses militants. Il leur demandait de se décharger complètement sur lui du soin et de la responsabilité des décisions. Il leur imposait de se plier aux ordres donnés avec une obéissance aveugle.

Résumons : Milena était capable de bien des sacrifices, matériels ou non : elle était disposée à sacrifier son confort, sa tranquillité, à oublier sa santé fragile, à compromettre sa sécurité. Mais elle ne voulait ni ne pouvait renoncer à sa raison. Ce sacrifice-là, elle en avait fait l'expérience à ses dépens à l'époque de son mariage avec Ernst. Elle était allée jusque-là, mais à ses propres risques et périls, et elle avait été la seule à en supporter les conséquences. A présent, elle savait que d'autres pâtiraient aussi des erreurs commises à l'instigation du parti.

Donc Milena, toute capable qu'elle était de mentir ou de déformer la vérité dans sa vie privée, faisait preuve d'une droiture absolue en matière d'affaires publiques. Personne ne pouvait la forcer à écrire ou à parler contre ses convictions, dans quelque intérêt que ce fût, sous couvert de la discipline du parti ou d'autre chose. De la même manière, personne n'a jamais réussi à la réduire au silence quand il y allait de ce qu'elle considérait comme juste. Personne n'a même réussi à lui faire dissimuler la vérité : elle se refusait à toute falsification.

Je reviendrai encore sur cela. Pour le moment, Milena travaille à *Svět Práce*, l'hebdomadaire communiste illustré. Elle est communiste jusqu'au bout des ongles. Lorsqu'elle cessera de l'être, ce ne sera pas, du moins me semble-t-il, par sa faute.

*

Il est difficile d'analyser dans le moindre détail les raisons qui ont poussé Milena à quitter *Svět Práce*. La goutte qui fit déborder le vase fut une altercation avec le rédacteur Kopřiva. Mais longtemps avant ce conflit, Milena avait accumulé plus de motifs qu'il n'en fallait pour justifier son coup de tête.

D'abord et surtout, Jaromír était rentré d'Union soviétique. Mes parents s'étaient séparés à l'amiable et ils continuaient tout naturellement à se rencontrer. Entre autres, parce que j'existais : Milena ne souhaitait pas que mes rapports avec mon père risquent d'être affectés par leur divorce. (Soit dit en passant, ce genre d'entreprise se solde généralement par un échec. Dans ce cas précis, grâce à leur exceptionnelle délicatesse et à l'amitié qui n'a cessé de les unir, mes parents ont parfaitement réussi cette gageure.)

Lors de son départ pour Moscou, Jaromír était un communiste enthousiaste, un admirateur fervent de l'URSS. Il revient à Prague déçu, aigri, désenchanté. Ce qu'il raconte paraît incroyable à nos oreilles – aujourd'hui, il serait absurde de s'appesantir sur ces faits notoirement devenus pour nous de banales vérités...

Il raconte des histoires de personnes arrêtées sans qu'on sache pourquoi. Sans qu'on ose même demander de quoi elles sont accusées. Il nous dit le culte insensé, le culte d'opérette qu'exigent Staline et ses collaborateurs et dont on ne sait s'il prête à rire, à pleurer ou les deux à la fois. Il parle d'une première d'un opéra à Moscou. Deux ténors chantaient les rôles principaux de Staline et de Molotov.

La représentation demeura inachevée : la réaction du public avait été telle que le producteur et les acteurs principaux furent arrêtés pour atteinte à la dignité du pouvoir des soviets. Repris quelques jours plus tard, le même opéra fut accueilli dans le plus grand calme. Personne, cette fois, n'aurait même osé esquisser une moue et encore moins un rire à haute voix. C'est ainsi qu'on avait vu Staline et Molotov vocaliser sur scène sous les regards ébahis des spectateurs pris par la peur, l'étonnement, le sentiment d'insécurité.

Et Jaromír continue de raconter : pour récompenser les stakhanovistes, une cité modèle avait été bâtie. Les appartements en étaient équipés de tout le confort imaginable : chauffage central et cabinets à chasse d'eau y compris. On remet ces appartements en grande pompe aux intéressés. Voilà qu'il se met à geler et que le chauffage – le diable sait pourquoi – refuse de fonctionner. Si bien qu'un tuyau, puis un autre, puis un autre encore sont apparus aux fenêtres des immeubles. Au bout de quelques jours, le boulevard de la cité moderne était tout hérissé d'une forêt métallique laissant échapper vers le ciel la fumée des salamandres chauffées au rouge.

Jaromír poursuit son récit. Il parle des gens qui n'osent pas demander des nouvelles de leurs meilleurs amis. Des gens qui évitent de se mettre à la recherche de ces amis, même lorsqu'ils ont disparu de leurs yeux depuis plusieurs semaines. Et quand Jaromír lui-même demande ce qu'est devenu tel ou tel, on lui répond d'un air étonné : « De qui voulez-vous parler ? » et on s'éclipse au plus vite.

Il nous en raconta, des choses, et pas seulement des anecdotes ! Il critiquait maintenant lui-même l'Union soviétique : il était parti avec trop d'enthousiasme et trop d'espoir pour parvenir à cacher, voire à surmonter sa déception.

D'ailleurs l'Union soviétique était alors en pleine

vague de procès. Pour les communistes tchécoslovaques, ces trop célèbres procès relevaient encore plus du mythe que d'un sujet du ressort de la simple raison. Le parti se bornait à présenter à ses adhérents des articles de foi qu'ils devaient accepter sans se poser de questions. Exigence quelque peu utopique pour qui se souvient que les militants communistes étaient souvent des représentants de l'intelligentsia laborieuse – des gens dont le cerveau était encore capable de fonctionner, aussi curieux que cela pût paraître. Les choses en sont là lorsque le rédacteur Kopřiva vient exiger de Milena qu'elle se sépare d'Evžen Klinger : on l'accuse de ce péché mortel décrit plus haut, le trotskisme. A bout de patience, Milena soufflette Kopřiva, claque la porte (ce que, entre parenthèses, elle savait faire avec une extraordinaire énergie) et c'en est fini de sa collaboration à *Svět Práce*.

Milena aimait Evžen. Evžen faisait partie de ses proches. Et pour les siens, Milena n'hésitait jamais à se battre. Comme pour son droit à mener sa vie à sa guise.

VII

« ta main tient un moineau
mais la main n'est pas une aile
sur ton toit un pigeon
mais le toit est sans maison
à quoi bon les oiseaux ?
Rien çà rien là
le ciel muet regarde
la vengeance les noces la faim et
la lumière
(seul le moineau bavarde) »

Hans Magnus ENZENSBERGER.

SON départ de *Svĕt Práce* laisse Milena sans emploi. Partant, sans ressources financières, ou presque. Or 1936 n'est pas une année spécialement rose pour qui cherche du travail. Bien sûr, Milena traduit toujours, avec Evžen, à partir du hongrois. Bien sûr, son père est toujours là, qui refuse de la voir, mais qui lui envoie chaque semaine par moi interposée un chèque de quelques couronnes, qui sont loin de suffire, mais qui représentent quand même une aide substantielle.

J'allais déjeuner chez mon grand-père tous les samedis. Je me rendais directement de l'école à son appartement, rue Dittrichova. Nous prenions un repas en tête-à-tête. Mon grand-père n'était jamais très bavard, mais il me donnait toujours, avant de nous séparer, une pièce d'argent de dix couronnes pour moi et une enveloppe pour maman. Parfois il me demandait de ses nouvelles, ou il désirait savoir ce qu'il y avait de neuf à la maison. Je me gardais bien de lui dire ce qu'il en était véritablement. Je me contentais de réponses anodines : « Maman va bien, merci, grand-père » ou : « Rien de nouveau, grand-père. » Toute autre parole n'aurait fait que l'énerver ou le mettre en colère.

De temps en temps on manquait d'argent pour payer l'électricité et il fallait sortir les chandelles. Curieusement, avec Milena, la pauvreté ne ressemblait pas à la misère. Elle plantait des bougies dans le goulot de quelques bouteilles et nous nous promenions de pièce en pièce en jouant au « Meunier et son enfant » (d'ailleurs, même aujourd'hui, tout ce que je sais de cette pièce c'est qu'elle met en scène des fantômes) et le drame pécuniaire finissait par nous mettre de meilleure humeur que si les choses avaient été normales.

La morphinomanie de Milena augmentait beaucoup nos dépenses. Elle durait pratiquement depuis ma naissance, à quelques brèves interruptions près. A ce moment-là, Milena ne se piquait plus à la morphine pure. Elle prenait des comprimés contre la toux, si riches en morphine qu'on ne les délivrait que sur ordonnance et qu'on se les procurait difficilement. Le remède s'appelait Dicodit et il ne se trouvait plus guère de docteur à Prague qui acceptât d'en prescrire à Milena, tant elle en avalait des doses à couper le souffle à tous les médecins de la capitale.

Je me suis toujours étonnée de la vision romantique que se font des toxicomanes les autres gens, les gens normaux. A la vérité, la toxicomanie est tout sauf romantique. La présence d'un drogué chez soi est ce qu'il y a de plus prosaïque. Quant à son approvisionnement, il ne se fait ni dans la pénombre de rues malfamées par le truchement d'individus d'un abord louche, ni dans un cadre d'une nonchalance discrète où évoluent d'élégants gangsters – du moins en Tchécoslovaquie.

Le petit pot au Dicodit était placé tout en haut du vaisselier. Il était jaune et faisait partie du service à thé dont c'était, je crois, à l'origine le pot à crème. Personne n'en ignorait l'existence. Il faisait partie de notre quotidien. Il n'avait rien de mystérieux, si ce n'est la vitesse à laquelle Milena en faisait disparaître le contenu. Dès qu'il était vide, commençait pour Evžen et pour moi un interminable pèlerinage de pharmacie en pharmacie, accompagné de tractations avec les pharmaciens et d'altercations avec les pharmaciennes, de promesses aussi : « Mais oui, bien sûr, c'est la dernière fois, c'est tout à fait exceptionnel », bref, n'importe quoi pour que Milena pût avoir sa dose.

Les proches d'un toxicomane encouragent-ils sa manie pour complaire au drogué ou pour avoir la paix ? C'est difficile à dire. Les deux raisons interviennent probablement à égalité. Quand Milena était en manque de morphine, ce n'était plus la même femme, ni psychiquement, ni physiquement. Tout à coup, sa fatigue et son épuisement apparaissaient. Ses traits défaits la vieillissaient de plusieurs années.

Je n'oublierai jamais le jour où elle prit la décision de se désintoxiquer à la maison, sans aide médicale. Elle voulait y arriver toute seule, en finir avec le Dicodit par ses propres moyens. Le premier jour, les choses se passèrent à peu près bien. L'enthousiasme suscité par cette grande résolution nous soutenait tous : Milena, Evžen et moi; et nous arrivions tant bien que mal à nous accommoder de sa nervosité et de sa fatigue physique. Mais petit à petit le syndrome de manque s'intensifia. Milena s'enferma dans ma chambre. Elle voulait s'isoler pour la durée de cette cure de désintoxication maison. Evžen empocha la clef de la chambre : il était décidé à ce qu'elle aille jusqu'au bout de ce traitement.

J'étais derrière la porte de la chambre. Par le trou de la serrure, j'étudiais avec Milena toutes les manières de trouver du Dicodit. C'était une tractation désespérée, Milena m'assurait qu'elle ne pouvait exister sans ses comprimés; elle en était désormais sûre et certaine; elle se jetterait par la fenêtre si on ne lui en trouvait pas. Nous habitions sous les toits et moi j'étais derrière cette porte fermée, incapable de rentrer dans la chambre. Je lui promis que j'allais tenter l'impossible. Le soir était tombé, la seule pharmacie dont je pouvais espérer quelque chose se trouvait place Strossmayer. J'empochai l'argent et je partis en taxi, telle que j'étais, en petite chemise et en pantalon de survêtement. Milena me recommanda de rentrer au plus vite, pas seulement pour lui donner le Dicodit, mais aussi pour tromper la vigilance d'Evžen qui avait disparu je ne sais où.

Tout d'abord, le chauffeur de taxi refusa de me prendre en charge : une petite fille n'avait rien à faire dans un taxi à Prague en pleine nuit. Je lui expliquai que je me rendais à la pharmacie, que je ne pouvais aller à une autre officine, car c'était la seule qui détenait le médicament dont maman avait absolument besoin. Il me prit en pitié et fila comme un diable.

La ville était tout illuminée. Des flots de gens se dirigeaient vers les cinémas, vers les théâtres, ou flânaient simplement le long des rues – toute petite déjà, j'adorais la ville la nuit. Mais cette fois-là, tout ce que je voyais, c'était l'heure qui tournait. J'avais terriblement peur d'arriver trop tard. Et si Milena avait sauté par la fenêtre ? Et si Evžen, rentré avant moi, m'empêchait de lui faire passer le Dicodit ?

Déjà nous arrivions place Strossmayer. Devant la

pharmacie, un taxi stationnait. Avec un passager : Evžen...

Je passai d'une voiture dans l'autre. Evžen avait déjà acheté le Dicodit. Nous rentrâmes ensemble chez nous... Je crois que ce fut la dernière tentative que fit Milena pour se désintoxiquer à la maison. Pendant des mois, notre train-train habituel reprit. Le pot à crème jaune se remplissait tant bien que mal, se vidait derechef, et chacun de nous comptait machinalement sur la paix qui s'ensuivrait pour tous, pour Milena comme pour nous.

*

Je ne sais pas au juste comment Milena et Evžen arrivèrent à joindre les deux bouts pendant ces mois où ils furent tous les deux sans emploi. Ils travaillaient ensemble à des traductions, mais cela ne suffisait manifestement pas à faire bouillir la marmite. Même en tenant compte de l'aide que nous apportait grand-père. A ma connaissance, Milena et Evžen n'ont jamais cessé de traduire, même lorsque Milena eut trouvé une place à *Přítomnost (Le Présent)*. Et les chèques hebdomadaires du docteur continuaient à nous arriver, même après cette date. Pourtant, les soucis pécuniaires de Milena étaient quasiment permanents.

Il me semble qu'ils traduisaient alors *Le Foyer du trouble* de Jósef Kalmer. Cependant, je me souviens beaucoup plus clairement du *Baccalauréat* de Jolan Fóldes auquel ils s'attaquèrent deux ans plus tard.

Milena ignorait tout du hongrois, mais Evžen parlait la langue à la perfection. C'était donc lui qui se chargeait du premier brouillon au mot à mot. Ensuite, le vrai travail commençait. J'adorais assister à cette élaboration. Je me mêlais parfois d'intervenir. Ni Evžen ni Milena ne m'ont jamais imposé silence, je dois leur rendre cette justice.

Ce travail d'écriture n'était pas une mince affaire. Milena pesait chaque mot. Elle le tournait et le retournait en tous sens et ne trouvait souvent le terme voulu qu'au bout de plusieurs jours. Il nous arrivait de sortir pour déjeuner – Milena ne cuisinait que rarement ou, pour tout dire, elle ne cuisinait pas du tout. Nous étions donc attablés, quand le terme espéré jaillissait dans l'esprit de Milena ou dans celui d'Evžen. Ils n'avaient jamais besoin de le consigner par écrit. Si c'était vraiment le bon mot, ils ne risquaient plus de l'oublier. J'essayais parfois de leur proposer une de mes idées. Celles-ci valaient en général pas grand-chose, mais que pouvais-je en savoir alors ? Evžen et Milena examinaient ma suggestion, ils la discutaient avec le plus grand sérieux – même lorsqu'ils savaient fort bien qu'elle n'était pas utilisable. Ainsi, je n'avais jamais le sentiment d'être un petit trouble-fête ou de me mêler de ce qui ne me regardait pas, je ne me sentais jamais être pour eux une sorte de poids mort.

D'ailleurs je n'ai jamais éprouvé pareille impression. Milena me traitait en amie et en adulte, autant que faire se pouvait. Tant que je ne dépassais pas les bornes. Et même dans ce cas, elle se dépêchait de faire la paix avec moi : elle ne supportait pas les longues brouilles. La bonne entente familiale lui était aussi nécessaire que l'air qu'elle respirait.

Pour améliorer un peu notre situation matérielle, Milena travailla un an comme rédactrice technique à *Stavitel (Le Bâtisseur)*, la revue de l'Union des architectes. Elle collaborait aussi à la rubrique féminine de *České slovo (La Parole tchèque)*. Mais ces articles pour bonnes femmes ne la satisfaisaient plus guère. Elle terminait toujours son texte à la dernière minute et moi je filais le porter, tout frais sorti de sa machine à écrire, à la rédaction, place Venceslas, juste à temps pour la mise en pages.

Elle avait un mal fou à trouver des sujets. En désespoir de cause, elle nous chargea, Evžen et moi, de cette partie-là de son travail. Elle, elle se bornait à des commentaires venimeux sur nos idées. Ses propos incendiaires fustigeaient les parfaites ménagères et toutes leurs vertus, et pour finir même ses propres vertus domestiques. Le travail finissait toujours par se faire, l'article finissait par être écrit et je pouvais aller le livrer. Ah, si « nos lectrices » avaient pu entendre les commentaires de Milena sur leurs nettoyages de printemps, leurs problèmes ménagers, leur envie de se faire belles! Elles en seraient sans doute tombées à la renverse. Je revois encore ma mère rédigeant un article sur la bonne manière dont une femme au foyer doit se coiffer. Certes, l'article était à l'évidence plein de bons conseils, mais Milena mimait avec un tel talent les lectrices en train de mettre ces conseils en pratique que j'en riais encore le soir au moment de m'endormir.

Ces multiples petits travaux ne représentaient que des rentrées minimes et nous manquions à chaque instant de quelque chose. Nous empruntions pour combler ces manques. Ma mission était d'aller frapper aux portes, munie d'une lettre de Milena. Petites sommes, toujours sollicitées quand il n'y avait plus une seule couronne à la maison, et empruntées pour de longues périodes...

C'est dans ces conditions que je me rendis plusieurs fois chez Ernst Polak, qui habitait à Vinohrady, près du parc Grebovka. Son appartement me paraissait terriblement sombre et antique, mais je ne me faisais pas prier pour y aller. Polak me raccompagnait jusqu'au tramway avec son basset que je trouvais fort sympathique. De toute manière, j'avais bien du mal à penser que ce monsieur affable et grisonnant n'en faisait qu'un avec ce mari légendaire dont Milena me parlait quelquefois.

Mais cela, c'était dans l'ordre des choses. Sur la foi des récits de ma mère, je me représentais une personne, et quand je la rencontrais, elle n'avait rien de commun avec l'idée que je me faisais d'elle. Je dois ajouter que la plupart des gens me traitaient comme une enfant. Or j'étais habituée à tout autre chose. Je me vengeais en imaginant la tête qu'ils feraient s'ils savaient tout ce que Milena m'avait appris sur leur compte...

*

En 1937, lorsque Milena commença à écrire pour *Přítomnost*, la Deuxième Guerre mondiale était déjà dans l'air.

L'Italie venait de liquider, grâce à son armement moderne, l'absurde et lamentable résistance des combattants éthiopiens armés de lances et de flèches. L'empereur d'Abyssinie avait fui. Le roi d'Italie avait fait main basse sur son trône.

L'Espagne vivait à l'heure de la guerre civile, une guerre que le soutien courageux mais inefficace des Brigades internationales, accourues de tous les pays, alimentait; une guerre que la non-intervention des puissances européennes affaiblissait aussi sûrement que peu glorieusement.

Jour après jour, des fuyards nous arrivaient d'Allemagne. Fugitifs aux mains nues, aux yeux épuisés, porteurs d'une inguérissable peur. Même dans une pièce fermée, ils ne parlaient qu'en chuchotant; dans la rue, ils regardaient de tous côtés, pleins de frayeur et tout à coup ils pressaient follement le pas sans qu'on sache pourquoi...

Dans une telle conjoncture, les problèmes privés pâlissent et perdent leur acuité. Les ennuis graves jusqu'alors perdent leur sens, deviennent insignifiants, mesquins.

Les rentrées d'argent régulières que nous valait la collaboration de Milena à *Přítomnost* arrangeaient bien des choses. Elles nous étaient plus qu'indispensables : sans cet argent, le ménage aurait eu du plomb dans l'aile.

Pour Milena, il ne s'agissait pas seulement d'argent. Elle avait absolument besoin d'écrire. Surtout, elle avait le besoin de voir ses articles publiés. Trop d'événements douloureux se déroulaient sous ses yeux pour qu'elle pût ou voulût se taire.

Evžen écrivait dans la même revue. Leur entente s'en trouvait renforcée. Ce travail commun qui faisait partie de leurs rapports les unissait aussi fortement que leurs liens affectifs. Pour la première fois de sa vie, Milena trouvait chez un homme un collaborateur à sa taille en même temps qu'un compagnon de vie. Grâce à quoi ils passaient assez facilement sur tous les petits différends qui, dans d'autres circonstances, se seraient aggravés jusqu'à atteindre des proportions irréparables. Car les occasions de conflit ne manquaient pas.

Par exemple, l'infirmité de Milena ne cessait de la complexer. La raideur de son genou avait altéré bien plus que sa démarche : elle sapait et minait tout son goût de vivre. Ce genou raide tournait à l'obsession, d'autant plus que sa jambe malade faisait fréquemment souffrir Milena, qu'elle enflait et devenait alors plus encombrante.

Autre source de complexes pour ma mère : son obésité. Depuis son accouchement, Milena essayait en vain de perdre du poids et elle prenait très mal la chose. Je la revois, essayant régime sur régime. Mais une cure d'amaigrissement est une entreprise coûteuse et longue. Milena n'a jamais eu ni assez de temps, ni surtout assez d'argent. Elle en resta donc au stade des bonnes résolutions et conserva la blessure de son amour-propre. Pour corser le tout, Evžen était beaucoup plus jeune qu'elle.

Les tensions qui en résultaient étaient parfois si fortes qu'aucune autre relation n'y aurait résisté. Pourtant, la bonne entente régnait le plus souvent entre Evžen et Milena – bien que leurs rapports n'eussent pas toujours été au beau fixe. L'harmonie entre eux touchait à la perfection lorsqu'ils étaient attelés au même travail. Et, une fois passées les plus cruelles difficultés financières, notre vie ne se bornait pas à être agréable : elle s'ouvrait sur toutes sortes de menus plaisirs, de petits luxes même, pour lesquels Milena avait un flair très développé, mais dont il lui avait fallu se priver jusqu'ici, faute de temps et surtout faute d'argent.

Ces modestes superfluités n'avaient rien de comparable aux envies qu'aurait éprouvées une femme ordinaire. Quoi de plus naturel, puisque Milena n'avait rien d'une femme ordinaire ? Elle ne réservait jamais dans son budget une somme particulière pour s'acheter une robe ou un chapeau. A proprement parler, elle n'avait même pas de budget vêtements. Elle possédait en tout et pour tout, pour autant que je m'en souvienne, deux robes, une pour la maison et une pour sortir. Je ne lui ai jamais vu porter autre chose – jusqu'à son arrestation tout au moins – et je ne peux pas l'imaginer dans une autre tenue. La robe pour sortir était bleu marine, avec un décolleté en V et un col de la même étoffe. Près du décolleté, se trouvait un nœud. Voici l'histoire de ce nœud : au moment où elle se fit faire cette robe, Milena subit de la part de la couturière entêtée une pression féroce : une robe sans ornement faisait fade et triste. Il fallait au moins un petit brin de fantaisie. Milena finit par laisser faire la couturière et le nœud de ruban vint grossir la liste des problèmes insolubles, aux côtés de la cure d'amaigrissement. Chaque fois que Milena enfilait cette robe, elle se jurait de découdre le ruban. Mais elle était toujours en train de courir. Elle le ferait le soir même, sans faute. Et, pour mille et une raisons, le soir venu, elle ne parvenait jamais à mettre son projet à exécution. Peut-être parce qu'il aurait fallu prendre l'aiguille et faire quelques points. Or je ne me souviens pas que Milena ait jamais eu une aiguille en main, durant toutes ces années que nous avons vécues côte à côte.

Dans la rue, Milena était le plus souvent vêtue d'un manteau à grandes poches où elle enfonçait les deux mains le plus profondément possible. Elle allait généralement nu-tête. Parfois elle portait un béret qu'elle ôtait à la première occasion et qu'elle gardait à la main, soulignant ainsi ses gestes.

Elle portait les mêmes vêtements lorsque je l'accompagnais à la rédaction, ou que nous allions nous promener en ville, ou encore du côté du cimetière d'Olšany. C'est dans cette robe qu'elle est montée en voiture le jour où la Gestapo est venue l'arrêter.

En revanche, Milena était très sensible à son cadre de vie. Elle s'occupait de tout, depuis les reproductions dont elle ornait les murs de l'appartement jusqu'aux fleurs qu'elle mettait dans les vases et aux jardinières des balcons. Ces fleurs des jardinières, nous les semions nous-mêmes. Quant à celles des vases, nous nous les procurions de diverses manières : parfois, Milena en achetait; parfois, elle en recevait; parfois, nous entreprenions des expéditions intéressées du côté du cimetière ou du petit jardin public de la place Lobkowitz. Une certaine nuit, nous étions en train de chaparder des roses. Nous en avions déjà une belle brassée, lorsque nous fûmes surprises par le gardien. Milena exerça sur lui son talent d'oratrice, tant et si bien qu'elle finit par le persuader que, loin de voler des fleurs, nous étions occupées à tailler les rosiers, à en éliminer les fleurs fanées ou trop ouvertes qui leur pompaient leur force. Ce fut une belle prouesse : il n'est guère facile en pleine nuit de convaincre un homme chargé de veiller à l'ordre public que c'est justement ce moment-là que vous avez choisi pour voler au secours des jardins de la ville; que votre bouquet de boutons à demi éclos se compose en fait de roses défleuries qui n'ont été coupées que pour le seul bien des massifs. Mais à notre départ, le pauvre homme se confondit en remerciements. Il nous assura qu'il n'y avait pas beaucoup de gens de notre espèce dans la bonne ville de Prague. Je veux bien le croire; je partage même son avis. Enumérer tous les arguments déployés par Milena ce soir-là est impossible. Mais je compris alors en quoi consistait l'art de « savoir parler aux gens », et je sais depuis ce jour que Milena le maîtrisait à la perfection.

Nous nous sommes par la suite trouvées plusieurs fois dans des situations analogues. Milena réussissait à convaincre n'importe qui : les paysans des villages, les chômeurs des grottes na Hřebenkách, les intellectuels, les fuyards pleins de méfiance et d'une peur mortelle, les femmes de ses anciens compagnons. Elle déployait un miraculeux mélange de charme personnel, de gentillesse, de bonne volonté, de compréhension et d'indulgence, de puissance de suggestion et d'aptitude à dire aux gens des choses agréables, tout en restant parfaitement crédible.

Elle échouait face à une seule catégorie d'interlocuteurs : les imbéciles. Ceux-ci l'agaçaient autant qu'elle les agaçait. Mais ces gens-là, elle ne cherchait pas tellement à communiquer avec eux, du moins tel est mon avis.

Reste une dernière personne avec qui Milena aurait voulu s'entendre : son propre père. Elle n'y est jamais parvenue.

Une des grandes passions de ma mère était le cinéma. Je ne me souviens pas qu'elle ait jamais fréquenté les théâtres. Je crois bien pouvoir affirmer, en revanche, qu'elle a vu tous les films projetés sur les écrans à cette époque.

Il y avait alors une séance à deux heures, une à

130

quatre, une à six et une à huit. Sans sourciller, Milena pouvait ingurgiter quatre films dans la même journée. Elle commençait à quatorze heures par des dessins animés. Là, j'avais droit d'aller avec elle. Mais elle était, je crois, encore meilleur public que moi. Le comique et l'absurde des animaux de Disney la faisaient rire de si bon cœur qu'il lui arrivait d'entraîner toute la salle à sa suite. Elle se procura l'édition anglaise des *Trois Petits Cochons*, illustrée par Disney. Elle rangea ce livre parmi les miens, mais elle le feuilletait aussi souvent que moi et nous en connaissions toutes les images par cœur. Nous ne savions pas un traître mot d'anglais, ni l'une ni l'autre. Pourtant, Milena réussit à me traduire le mot « papa ». L'avait-elle cherché dans un dictionnaire ? Deviné d'après le contexte ? Je me souviens en tout cas très exactement de l'illustration correspondante. Cela se passe dans le salon des trois petits cochons. Ils dansent joyeusement autour de la table. Une image pend au mur : un jambon, un véritable jambon de réclame. Avec, comme légende : « papa »... Cette image illustrait parfaitement le point de vue de Milena sur les portraits de famille.

A seize heures, nous partions toutes les deux assister à une deuxième séance, mais là, plus question de dessins animés. Nous changions aussi de cinéma. Nous fréquentions surtout les salles de la place Venceslas et de ses environs immédiats. Chaque séance commençait par un documentaire : nous arrivions donc assez facilement à attraper le début du film. Cependant, comme les salles du centre-ville étaient assez strictes sur le respect de la limitation d'âge et que la plupart des films pour la jeunesse manquaient totalement d'intérêt, Milena faisait une fois de plus appel à ses talents de persuasion. Elle s'ingéniait à convaincre l'ouvreuse qu'il me fallait à tout prix voir, en sa compagnie, ce film-là et pas un autre. Elle y parvenait toujours, sans avoir à graisser la patte. Jamais elle ne se serait abaissée à presser discrètement une pièce de cinq couronnes dans la main de qui elle voulait convaincre. Elle trouvait ce procédé humiliant, et pourquoi y recourir, du moment qu'elle parvenait sans grand mal à obtenir des gens ce qu'elle voulait ?

Les films sérieux passionnaient Milena plus encore que les dessins animés. Elle était bon public. Elle appartenait à ce type de spectateurs que certaines scènes émeuvent aux larmes. Combien de fois est-elle ressortie dans la rue, le mouchoir à la main !...

L'hiver, notre quête d'images animées s'achevait après six heures. La nuit était tombée. Les néons et les réverbères brillaient. Au-dessus de la maison d'édition Melantrich, une ligne lumineuse écrivait sans fin « Večerní české slovo » (« La Parole tchèque-Soir »). Milena ne me pressait pas de rentrer. Elle connaissait mon amour pour les rues à la nuit tombée. Elle les aimait autant que moi. Quand il m'arrivait de ne pas avoir compris certains aspects du film, nous nous promenions sur la place Venceslas de marchande de marrons en marchande de marrons, nous chauffant les doigts aux châtaignes brûlantes et Milena, toujours patiemment, répondait à toutes mes questions, même aux plus saugrenues. Parfois, nous rentrions à pied tout en discutant et notre discussion se poursuivait à la maison. Milena ne se contentait jamais de réponses superficielles. Elle avait toujours beaucoup de choses à dire. A l'occasion du film soviétique « Les chemins de la vie », elle me parla des enfants abandonnés. Elle m'expliqua pourquoi ils devenaient délinquants et par quelles étapes ils en arrivaient là. Le film américain « La loi du lynch » la conduisit à me faire comprendre ce qu'est une foule, ce qu'elle peut avoir de terrible et comment il se fait que les hommes, au sein d'une foule, n'ont pas le même comportement que pris un à un. A propos de « La grande illusion », elle me parla de la guerre, de l'honneur, de la dignité humaine et elle m'expliqua pourquoi tout cela n'est qu'illusion.

Il arrivait qu'elle ne sût pas me répondre. Il y avait des choses qu'elle ne comprenait pas, qu'elle ne pouvait même pas s'expliquer elle-même. Lorsque nous butions sur ce genre de choses, elle en parlait avec une colère âpre, sans emphase, sans jamais s'en tenir à un haussement d'épaules résigné ou à l'opinion qu'ainsi va le monde et que nous n'y pouvons rien. Son optimisme était incurable : elle croyait qu'on pouvait réorganiser le monde pour qu'il fût vraiment et entièrement vivable pour tous. Telle était sa conviction, du moins à cette époque. Plus tard, à Ravensbrück, il en alla sans doute autrement. Mais pour qu'elle renonce à sa foi, il fallait qu'elle vécût certaines expériences dont elle n'avait alors aucune idée.

Parmi les réalités que Milena jugeait incompréhensibles et, partant, inexplicables, il y avait entre autres le produit de ces monstrueux calculs opérés hors de tout sentiment. Par exemple, ce qui a trait aux grandes manœuvres financières, comme cette entente des fabricants d'armes au cours du premier conflit mondial, alors même que leurs pays respectifs étaient en guerre. Les pays ennemis s'achetaient mutuellement des armes. On vit donc des soldats français tuer des soldats allemands avec des armes allemandes. De la même manière, Milena ne pouvait m'expliquer clairement pourquoi une personne ordinaire peut se transformer en assassin par simple obéissance. Elle ne savait pas pourquoi les soldats ne refusent pas tout bonnement de tirer, tous d'un même élan, au lieu de se laisser massacrer et de massacrer leur adversaire par pure discipline.

Généralement, de telles conversations venaient

conclure nos après-midi de cinéma ou nos promenades en ville – qui nous conduisaient elles-mêmes,
le plus souvent, vers une salle obscure...

Parfois aussi, la soirée s'achevait pour moi par
un retour solitaire à la maison. Milena m'accompagnait jusqu'au tramway puis s'en allait vers de
nouvelles sensations, à la séance de vingt heures.

Cependant, je ne pense pas qu'elle ait jamais été
tentée d'écrire pour le cinéma – cela ne lui venait
même pas à l'esprit. Ici, elle était exclusivement
spectatrice. Elle n'aspirait à rien d'autre. Le
cinéma la tenait sous son charme : il lui offrait tant
de moyens d'évasion et tant d'illusions! Bien sûr,
sa vision pouvait être très critique et alors elle ne se
privait pas de l'exprimer soit en paroles soit par
écrit, mais, sitôt assise dans la salle noire, elle
chassait la vie réelle très loin. Sa seule réalité
devenait l'écran avec ses images animées.

Milena avait une autre façon de fuir le quotidien : elle lisait des romans policiers. Ce n'était pas
tout à fait le même genre d'évasion, mais cela
me laisse perplexe encore aujourd'hui. Comment
Milena parvenait-elle à tout concilier? Ecrire, traduire, se tenir au courant de l'actualité littéraire
et, en même temps, sacrifier à ses deux grandes
passions : le cinéma et ces romans policiers dont
elle faisait une consommation à peine croyable.

Dans ce temps-là, les kiosques à journaux et les
marchands de tabac offraient à la vente des bro-
chures en allemand. Je ne sais pas si elles paraissaient chez nous ou si elles arrivaient d'Allemagne,
mais il en sortait chaque semaine de nouvelles.
Chacune contenait l'intégralité d'un roman policier. Elles paraissaient à jour fixe – le jeudi, si je ne
me trompe – et Milena m'expédiait aussitôt les
acheter chez M. Hamza, le buraliste de notre rue.
Une soirée, ou plus précisément une nuit, lui
suffisait pour dévorer un roman entier : elle ne

pouvait s'en détacher avant d'être arrivée au dénouement.

Dans ce domaine, son rôle de lectrice ne se bornait pas à une pure et simple consommation. Le suspense la tenait en haleine comme n'importe quel amateur de mystères. Cependant, le roman policier lui apportait plus qu'une simple excitation. Elle en appréciait surtout le jeu intellectuel, le côté devinette, qui lui offrait l'occasion d'aiguiser son esprit en même temps que son sens de l'humour.

Elle entreprit un jour d'écrire à son tour un roman policier. Le manuscrit s'égara et, à ma connaissance, la tentative demeura sans suite.

Plus la situation mondiale s'aggravait, plus se tendait et s'obscurcissait la réalité dans laquelle nous étions plongés, plus Milena veillait jalousement sur ces parenthèses de brève évasion. Quand elle écrivait ou qu'elle traduisait, si je venais la déranger, elle ne se fâchait généralement pas. Tout au plus renvoyait-elle à plus tard de me répondre ou écoutait-elle ma question et y répondait à la hâte. Mais, plongée dans son intrigue policière, elle ne supportait aucune interruption. En ouvrant le livre, elle nous avertissait d'entrée de jeu qu'elle ne voulait pas être dérangée, qu'elle voulait lire tranquille et qu'il fallait, ce soir-là, lui ficher une paix sacro-sainte.

Ses autres plaisirs, ses distractions, ma mère les partageait tous et volontiers, avec son entourage. Le plus souvent, elle requérait même notre participation. Nous devions nous joindre à elle pour changer l'emplacement des gravures sur les murs, pour arranger les fleurs dans les vases ou faire emplettes de papeterie, autre occupation favorite de Milena. Mais pour ce qui est des romans policiers, Milena ne souffrait pas de partager son plaisir. De plus en plus souvent, aussi, elle se rendait seule au cinéma. Laissait-elle ensuite échapper une phrase qui la trahissait ? Aussitôt elle me priait de ne parler à personne de son escapade.

La radio constituait le dernier parmi les plaisirs de Milena, mais non le moindre, et de très loin. Il serait peut-être plus élégant de dire qu'elle aimait la musique, mais ce serait faire une entorse à la réalité. Certes, Milena aimait et comprenait la musique, et c'était bel et bien à la radio qu'elle en écoutait le plus souvent. Mais ce n'est pas pour la musique que la radio la passionnait tant. Elle avait beau jurer ses grands dieux que sa seule raison d'écouter le poste c'était la musique qu'il diffusait et parfois les informations. Elle n'en aurait démordu pour rien au monde, elle n'aurait jamais avoué la vérité : que la radio exerçait sur elle une étrange attraction.

Il lui arrivait de se déplacer de station en station, d'errer sur les bandes d'ondes jusqu'aux petites heures de la nuit. Paroles, musique, gargouillis indistinct des stations au repos, tout lui était bon. Le haut-parleur pouvait bien la noyer d'un déluge de phrase en langue étrangère dont elle ignorait le sens, elle écoutait toujours.

A cette époque, il était hors de question qu'elle fît sa valise et qu'elle partît explorer le monde : elle manquait d'argent et elle n'était plus assez jeune pour courir l'aventure. Et puis, il y avait moi, il y avait Evžen, il y avait la rédaction et mille autres choses. Milena étouffait à la maison. Elle avait envie de liberté comme jadis. Il ne lui restait plus que cette manière-là de voyager. Jamais cette explication ne me serait venue toute seule à l'idée. Jamais je n'aurais compris le pourquoi de ces grésillements dans le silence de la nuit. Mais il m'arriva une fois de me réveiller à une heure inhabituelle. Milena, assise devant la radio, promenait l'index mobile de station en station. Elle se retourna brusquement vers moi. Elle prononça le nom d'une ville, je ne sais plus laquelle, en ajoutant :

– J'aurais tellement voulu voir à quoi ressemblait cette ville...

– Eh bien, nous irons, un jour, lui répondis-je machinalement.

– Pour moi, il est trop tard, me rétorqua-t-elle. Et quand je lui demandai pourquoi :

– Je suis vieille et je suis infirme...

Nous nous mîmes à bavarder. Puis Milena éteignit le poste et nous allâmes nous coucher. Nous n'avons jamais reparlé de cette nuit, mais ces vagabondages de station en station ont pris pour moi, depuis, une signification assez claire.

*

Dès ses débuts, la collaboration de Milena à *Přítomnost* parut placée sous de bons auspices. Sans doute parce que Milena n'y tenait pas de rubrique féminine. Ses feuilletons n'avaient plus rien à voir avec les bavardages décoratifs destinés à donner une note de légèreté à un journal plus ou moins sérieux. Ce changement n'était pas tout à fait nouveau. Déjà à *Svět Práce*, les articles de Milena étaient bien autre chose que les conseils d'une femme avisée à ses lectrices. Milena avait atteint sa pleine maturité. Affranchie des *a priori* et des entraves du parti, elle faisait pour la première fois un travail journalistique sérieux.

Elle faisait aussi la connaissance de nombreuses personnalités qu'elle avait ignorées jusque-là. Elle traduisait pour *Přítomnost* des articles de Willi Schlamm. Elle recrutait de nouveaux collaborateurs et, elle-même, s'exprimait sur tout ce qui lui faisait mal et sur tout ce qu'elle ne voulait pas qu'on taise.

Le rédacteur en chef de *Přítomnost* était Ferdinand Peroutka. Il n'avait jamais été communiste, ce qui est évidemment une tare grave pour un journaliste. C'était néanmoins l'un des plus grands professionnels de notre pays. Milena aimait travailler avec lui et il appréciait sa collaboration. Il déclarait parfois qu'elle était manifestement trop intelligente pour que vivre avec elle fût supportable et que cela expliquait pourquoi travailler avec elle présentait tant d'intérêt. Il n'avait sans doute pas tort. Il avait pour maxime favorite qu'une femme doit être un objet décoratif, charmant, bébête et gentiment capricieux, mais – autant que faire se peut – dépourvu de toute capacité intellectuelle. D'ailleurs, lorsque Peroutka fut arrêté et que sa gentille petite femme sans cervelle perdit la tête pour de bon, c'est évidemment sur Milena que retombèrent toutes les corvées. Nous y reviendrons.

A peu près à la même époque, il nous fut donné de vérifier à nos dépens ce qu'est la vie aux côtés d'une poupée décorative aux caprices charmants.

Jaromír était parti pour Paris. A son retour, il s'effondra. Il eut un infarctus. On dut l'hospitaliser. Bien entendu, son épouse, fragile et adorable, tomba à la charge de Milena.

Riva n'était pas tchèque. Jaromír l'avait ramenée d'Union soviétique, frêle créature souffrant de tous les maux possibles et imaginables. Très belle, elle passait son temps, dans ce pays qui n'était pas le sien, à mettre en avant sa solitude, sa détresse, son désarroi. Si bien qu'avec ce petit être fragile pendu à son cou, avec son travail au pavillon tchèque de l'Exposition universelle de Paris, avec ses cigarettes et ses nuits blanches, la santé de Jaromír avait fini par céder.

On l'emmena d'urgence et Riva débarqua chez nous, avec ses lamentations esseulées. Elle se trouvait perdue dans son appartement où toutes les responsabilités lui retombaient dessus. Milena, dont la destinée voulait, pour je ne sais quelles obscures raisons, qu'elle prenne en charge les épouses de tous ses anciens maris, l'invita à s'installer chez nous.

L'expérience ne dura pas longtemps. Pourtant, nous faillîmes y laisser la raison. Pour moi, quelle leçon instructive! Je compris alors toute la différence entre une tête de linotte et Milena. Rien n'aurait pu me révéler plus clairement cette différence que ces quelques jours où notre appartement fut saturé par les caprices et les états d'âme de Rívuška. Elle réclamait des attentions par-ci, des petits services par-là, des égards dont nous n'avions jamais rêvé et que, même au plus mauvais de sa maladie, Milena n'avait jamais demandés. Enfin, Jaromír sortit de l'hôpital et Rivuška regagna ses pénates. La paix et la tranquillité nous furent rendues. Mais depuis ce temps-là, je redoute les « petites femmes » plus que le diable l'eau bénite.

*

L'un des meilleurs écrits de Milena fut probablement la série de reportages qu'elle rapporta de son voyage dans les régions frontalières, en 1938. Pour Milena, 1938 fut une année pleine d'événements aussi bien mondiaux que personnels.

C'est Peroutka qui envoya Milena dans les Sudètes, après bien des hésitations et bien des réticences. La région était pleine de dangers. Même pour un homme en pleine santé, l'entreprise était risquée. Qu'en était-il pour Milena? Elle réussit finalement à partir et les notes qu'elle rapporta auraient pu permettre d'écrire tout un roman.

Là encore, son art de parler aux gens lui fut d'un grand secours. Elle leur faisait raconter avec le plus grand naturel ce qu'ils auraient soigneusement caché à toute autre personne inconnue, par peur des conséquences de la moindre parole imprudente.

Voilà comment Milena apprit jusqu'où allaient

les violences qui sévissaient dans cette région. Non seulement dans la vie quotidienne, celle qui fait habituellement la matière de pareils reportages, mais aussi dans l'intimité des familles. Elle récolta une moisson d'informations : par exemple, les mères en venaient à redouter leurs propres enfants parce que les organisations favorables à Henlein[1] apprenaient à ces enfants que leur honneur et leur devoir passaient par la dénonciation des ennemis du Reich, ceux-ci fussent-ils leurs propres parents. Elle avait pu s'entretenir avec une femme qui n'osait interdire à son fils de jouer à la guerre et de mimer les massacres, de peur de s'attirer la vengeance d'une horde de voyous fanatisés et abêtis par leurs chefs, capables d'incendier et de se livrer à toutes sortes de brutalités sur leur ordre. Elle avait appris bien d'autres détails, de la bouche même de ces gens qui tremblaient devant leurs fils et leurs filles.

Ses lettres en étaient pleines. A son retour, elle nous répéta de vive voix ces choses qu'elle avait entendues. Mais il y a un fossé entre ce qu'on a vu de ses propres yeux et ce qu'on entend raconter par la bouche d'autrui. Ce dont Milena avait été témoin n'était qu'en partie racontable.

N'oublions pas que nous sommes en 1938, l'année de l'Anschluss. Milena ne se fait aucune illusion sur ce qui va suivre. Les exemples de folie qu'elle a observés à quelques kilomètres de Prague sont trop effroyables pour lui laisser espérer qu'on parviendra encore à enrayer l'explosion. Ma mère a dû réaliser alors qu'elle aurait besoin de toutes ses forces, et cela dans l'immédiat. Cette prise de conscience commande une décision : une bonne fois pour toutes, Milena va se libérer de la mor-

---

1. Henlein : chef du Parti allemand des Sudètes, partisan du séparatisme, soutenu par le Reich qui alimente ses caisses dès 1935.

phine, mettre un terme à cette toxicomanie qui mine ses forces.

Evžen la conduit donc à Bohnice[1].

A l'origine, cette cure de désintoxication qu'elle va suivre a été programmée sur une assez longue période pour que le traumatisme en soit atténué. Mais tout délai impatiente Milena. Elle sait qu'elle fait besoin, chez elle comme à la rédaction. Elle décide d'écourter le traitement au maximum et de subir une cure de choc, rapide, efficace, mais assurément prévue pour des individus doués d'une exceptionnelle force nerveuse.

Je suis allée plusieurs fois lui rendre visite. A chaque coup, l'infirmière devait l'amener jusqu'au parloir. Il fallait aussi qu'elle l'aide à repartir. Milena avait du mal à marcher. Ses mains et sa voix tremblaient. Ses traits défaits la rendaient presque méconnaissable.

D'une voix rauque, avec des phrases inachevées et souvent incohérentes, elle me racontait qu'elle était enfermée dans une cage avec une foule d'aliénées. Celles-ci faisaient sous elles et se barbouillaient avec leurs propres excréments; elles hurlaient nuit et jour, vociférant de folles plaintes inarticulées. Milena vivait dans cette salle commune depuis plusieurs jours. Elle devait y rester encore un peu. Lorsque je partais, elle appréhendait son retour dans cet endroit, mais elle suivait l'infirmière de son plein gré. En me disant au revoir, elle m'annonça d'un ton de conspiration que le petit pot jaune du service à thé pouvait être rendu à son usage normal.

Enfin Milena revint de Bohnice. Défaite, amaigrie, épuisée, mais guérie. Ce fut un soulagement pour toute la famille. Au premier chef pour Milena elle-même.

---

1. Bohnice : asile d'aliénés, équivalent de Sainte-Anne pour Paris.

VIII

Nous devions bientôt nous rendre compte à quel
point Milena avait eu raison de se faire désintoxiquer. Le 15 mars 1939, Hitler envahissait la Tchécoslovaquie sans coup férir. Pendant six ans, notre
pays fut livré à toutes les horreurs que Milena avait
vues pendant son voyage dans les Sudètes et dont
elle avait eu connaissance par ses entretiens avec
les fugitifs allemands.

A la seconde où la radio diffusa cette phrase
aujourd'hui galvaudée : « Gardez votre calme... »,
Milena entreprit de brûler tous les documents qui,
d'une manière ou d'une autre, auraient pu être
utilisés contre elle, contre ses amis ou contre ses
collaborateurs. Nous ne disposions que d'un chauffage central, mais les lettres, les documents, les
photographies furent livrés aux flammes au-dessus
de la cuvette des cabinets ou du seau métallique. Il
est sans doute peu de peuples dont les comportements habituels sont aussi divers que ceux des
Tchèques. Pourtant, le 15 mars 1939 au matin, la
même scène, à quelques détails près, a dû se
dérouler dans toutes les maisons. Tous les appartements sentaient le papier brûlé. Des gens aux yeux

rougis de larmes, de fumée et de chagrin se penchaient sur tous les poêles, sur tous les seaux disponibles.

Milena ne me tenait jamais à l'écart d'événements graves. Cette nuit-là, je veillai avec elle. Là encore, je n'étais pas la seule. Aucun des enfants n'ont dormi sur leurs deux oreilles cette nuit-là dans les appartements voisins.

Nous regardions les fenêtres s'éclairer. Chaque nouvelle lumière était le signe que quelqu'un venait d'apprendre... A chaque instant retentissait la sonnerie du téléphone. Les conversations étaient très brèves : « Vous savez... – Vous ne savez pas... » Le temps manquait pour en dire plus long.

Milena empilait les unes sur les autres les affaires à brûler. J'y ajoutai mon foulard de pionnière – un authentique foulard soviétique que je gardais encore de l'époque où j'avais accompagné Milena aux défilés du Premier Mai. C'était l'époque où ma mère se promettait de faire de moi une bonne communiste. Par la suite, je n'ai plus porté ce foulard. Mais Milena n'alla jamais jusqu'à penser qu'il pût être déshonorant de marcher vers l'idéal du pionnier tel qu'elle le concevait. Et sa décision de se démarquer d'un parti qui avait cautionné les procès de 1936, ne s'accompagnait d'aucune rancune.

Il me semble que ce fut ce matin-là (ou plus précisément cette nuit-là) que la voix du professeur Jesenský lui-même résonna dans le téléphone. Mon grand-père était au courant du travail de sa fille. Il avait lu ses articles dans *Přítomnost*. Il ne savait, pas plus que Milena, faire preuve de conciliation. Jamais il n'avait fait le premier pas vers elle. Voici pourtant que ces barrières tombaient.

Tant de personnes nous appelèrent ce matin-là avec leurs « Savez-vous que...? » qu'il m'est impossible de les nommer toutes. Je me souviens seule-

ment que les appels se multipliaient à mesure que
se levait le jour.

Lors de ma visite suivante à mon grand-père
– cette fois-là j'y allai à pied parce que les tram-
ways avaient été couverts d'inscriptions germano-
tchèques et que je les boycottais, comme tout le
monde –, lors de ma visite, donc, une fois le repas
achevé, mon grand-père leva le nez de son journal
et me demanda :

– Et ce monsieur Klinger qui habite chez vous,
que va-t-il devenir ?

Je savais qu'il fallait impérativement qu'Evžen
nous quitte et je m'empressai de l'annoncer à mon
grand-père.

Il se replongea dans son journal. Puis, après
quelques minutes de silence, manifestement occupées à l'examen intérieur de ma réponse, il refit
surface :

– Et dis-moi, s'il te plaît, où compte-t-il aller ?

Je répondis qu'il partirait en Angleterre. Car cela
aussi je le savais. Et l'Angleterre était pour moi un
pays prestigieux qui conférait au départ d'Evžen
une aura quasiment magique.

Le vieux monsieur n'en fut pourtant guère émer-
veillé. A peine montra-t-il quelque surprise. Il
secoua la tête et s'exclama :

– Bien sûr, c'est justement lui qu'ils attendent,
pardi, lui en personne, qui d'autre ?

Sur quoi il quitta la table. Il farfouilla pendant
quelques instants dans son secrétaire, après quoi il
me tendit un petit paquet et un billet de banque
étranger – livres ou dollars – dont je ne sais plus la
valeur.

– Tu lui donneras ceci, ce sera un début. Qu'il
n'aille pas encore mourir de faim là-bas, quelque
part. Il croit probablement qu'on l'attendra en
grande pompe à la descente du train, n'est-ce pas ?
Le temps qu'il se fasse une place au soleil...

Il disparut de nouveau derrière son journal. Je

restai un moment assise sans bouger, le paquet et le billet de banque devant moi sur la table. Je n'osais pas les prendre. Enfin je pris mon courage à deux mains, je glissai les deux cadeaux au fond de mon sac et je fis mes adieux. Ce jour-là, mon grand-père me dit au revoir avec une espèce d'indifférence marquée, comme pour mieux me faire comprendre que cette preuve de bonté et de solidarité que je rapportais à Evžen de sa part n'avait rien, mais alors vraiment rien à voir avec une quelconque émotion, un quelconque mouvement du cœur.

A la maison, en ouvrant le paquet, Milena éclata en sanglots comme une petite fille. En plus d'un morceau d'or dentaire, le paquet contenait aussi la montre en or que le professeur Jesenský avait reçue le jour de sa remise de diplôme.

*

La filière qu'Evžen allait emprunter était à l'origine celle que nos aviateurs devaient suivre pour rejoindre la France après avoir traversé la Pologne. Le gouvernement français d'alors s'était engagé à incorporer ces aviateurs dans ses unités de combat en les maintenant dans leur grade. En réalité, on les envoya dans la plupart des cas grossir les rangs de la Légion étrangère. Les quelques pilotes incorporés comme promis dans l'aviation française le furent avec un grade inférieur à leur rang dans l'armée tchèque.

Ce fut Joachim von Zedtwitz qui attira l'attention de Milena sur cette voie de passage. Jochi était un comte allemand, possesseur d'un doctorat et professeur des opinions anarchistes. Je crois me souvenir qu'il avait fait ses études à Prague. Il appartenait à une branche de Zedtwitz installée en Bohême de longue date. Plus d'un an après la guerre, il m'emmena un jour dans son château de

Neuschloss près d'Aš, qui ne lui avait pas encore été confisqué. Par une des fenêtres de sa demeure, il me montra – en 1946! – toutes les terres sur lesquelles il exerçait son droit de seigneur lige.

En tout cas, en 1939, ce fut ce même Joachim qui attira notre attention sur cette filière permettant de faire échapper à la persécution du Reich hitlérien des gens directement menacés – surtout et avant tout des Juifs sur qui cette menace pesait d'office.

Jochi était le type parfait de résistant pour le mouvement clandestin du protectorat Böhmen und Mähren[1]. Allemand, blond aux yeux bleus, il parlait une langue aux inflexions si manifestement authentiques qu'elle faillit, après la guerre, lui valoir d'être pendu sur la Národní Třída. Un tel individu ne pouvait qu'éveiller chez les occupants un sentiment profond de confiance. Il vaquait donc à ses occupations, prêt à arborer en cas de besoin une croix gammée qu'il portait sous le revers de son veston. Il savait pousser un « heil » d'un ton plus crédible que tous les nazis pris ensemble.

Jochi possédait une petite voiture biplace – peut-être une Ford –, engin hurlant qui avançait avec un diabolique bruit de ferraille. Et c'est dans ce véhicule qu'il se proposait de transporter jusqu'en Pologne les pauvres victimes de ses activités illégales. Arrivés là, ses passagers étaient remis entre d'autres mains pour la suite de leur voyage.

Jochi avait une chance de tous les diables. La prudence lui était étrangère y compris dans ses formes les plus élémentaires. On croit généralement que quelqu'un qui travaille dans la clandestinité doit être discret, silencieux, tout ouïe et tout regard, qu'il doit passer inaperçu de tous. Jochi, au contraire, se faisait repérer de loin. Il était aussi

---

1. Protektorat Böhmen und Mähren : nom officiel du protectorat Bohême-Moravie.

bruyant qu'une horde de babouins effarouchés. Avec la meilleure volonté du monde, on ne pouvait éviter de le voir.

Le jour où il venait pour emmener Evžen, il trouva le moyen d'écraser un chien juste devant notre porte. Le chien hurlait et geignait. Pourtant, il n'avait guère été touché, mais son propriétaire, prenant l'affaire pour une atteinte à sa dignité nationale, se mit à cogner le nez de Jochi contre son volant, dans un accès d'indignation patriotique. Le moment n'était guère choisi pour que Jochi lui explique ses positions politiques. D'ailleurs il venait justement nous voir en voiture parce que son allure allemande lui assurait une couverture idéale. Un attroupement se forma devant la maison, avec force cris, disputes, et confusion. Si la police ne s'en est pas mêlée, c'est uniquement parce que Jochi parvint à prendre la fuite in extremis.

Pour tout dire, les gens qui émigraient à partir de chez nous se mettaient en route avec plus de tapage que l'empereur lui-même quand il partait chasser à courre. Prendre en charge ces candidats à l'émigration n'était d'ailleurs pas une mince affaire. Parfois, l'un d'entre eux passait la nuit chez nous et s'arrangeait évidemment pour déverser sur Milena le fardeau de ses soucis. Mais ce n'était pas le pire, Milena savait faire face.

La question devenait plus épineuse lorsqu'il fallait faire comprendre aux émigrants pourquoi et surtout dans quelles conditions leur départ allait s'effectuer. Je me souviens d'un intellectuel juif terriblement angoissé, en proie à la plus incontrôlable des paniques longtemps avant l'heure du départ. Or, ce jour-là, Jochi tomba justement sur une patrouille. A vrai dire, il n'arriva pas grand-chose : les Allemands se contentèrent de les refouler et Jochi ramena son passager chez Milena pour y passer la nuit et se remettre en route le jour suivant.

A peine arrivé à la maison, le malheureux s'effondra. Il se mit à crier qu'il allait se rendre à la Gestapo, qu'assurément on lui en saurait gré, que ce serait une circonstance atténuante; Milena devait le laisser partir sur-le-champ pour qu'il se livre avant qu'on ne vienne l'arrêter chez nous et prouve ainsi sa bonne volonté.

Milena passa un long moment à le raisonner. Puis elle lui fit avaler une bonne dose de sédatifs (un cocktail de Fandorm et de Sedormit). Enfin elle l'expédia au lit.

Après quoi, elle dut s'occuper de Jochi. Celui-ci tournait dans l'appartement comme un lion en cage et donnait libre cours à son incoercible fureur. « C'est décidé, il n'y a pas à tortiller. Je lui fais croire que je l'accompagne à la Gestapo et je l'emmène au coin d'un bois où je le descends comme un clebs au bord d'un fossé. On ne va quand même pas me coffrer pour avoir zigouillé un Juif, moi, un citoyen du Troisième Reich! C'est pas parce qu'il y en a un qui chie dans son froc qu'on va perdre une filière par laquelle Moïse pourrait emmener presque tout son peuple vers la Terre promise!... »

Milena parvint à apaiser même Jochi. Le matin suivant, les deux voyageurs reprirent la route de la Pologne. Aucun barrage ne les arrêta ni ne les refoula cette fois-ci, et si ce malheureux est encore en vie, il doit couler des jours heureux en quelque coin tranquille de la terre...

Le pire, c'étaient les marchandages à propos de ce qui pouvait ou non être emporté. Les bijoux, l'argent, l'or, les meubles – bref, le maximum de biens, puisque l'insécurité attendait ces émigrants. Jochi et Milena devaient sans cesse expliquer et ré-expliquer pourquoi il était impossible et même dangereux de se charger. Quand on défend son or

148

avec bec et ongles, on est moins réceptif à ce genre d'arguments que lorsque votre seule peau est en jeu. Souvent, Jochi n'avait plus qu'une seule solution : décréter d'un ton menaçant que s'ils s'obstinaient, il laisserait ses passagers là avec tout leur fourniment. Un point c'est tout. Pour certains, cette ultime menace ne servait à rien. Ils préféraient ne pas partir plutôt que de partir dépossédés. Je revois encore un de ces pauvres diables qui termina ses jours dans une chambre à gaz. Peut-être a-t-il eu une fin plus heureuse que s'il avait dû s'exiler les mains vides : visiblement, cet homme-là tenait plus à ses richesses qu'à sa propre vie.

Quoi qu'il en soit, nombreux furent ceux à qui cette filière permit de gagner un lieu sûr. La blondeur de Jochi attestait la pureté de sa race germanique et cette couverture valait mieux que toute la prudence du monde.

*

Evžen insista d'abord pour que nous partions en même temps que lui. Finalement, il se laissa bercer par la promesse que nous ne tarderions pas à le suivre. C'était une affaire de quelques semaines. Lui-même ne pouvait plus reculer son départ. Prague était pour lui pleine de dangers. Il n'y avait pas de sens à ce qu'il continuât de risquer sa vie. Un beau matin, Jochi l'embarqua dans sa petite voiture. Direction la Pologne.

A peine avaient-ils disparu de nos yeux que toute l'épouvante des jours précédents s'insinua jusque dans notre intimité. Notre appartement en était comme dévasté par un incendie. D'un commun accord, nous prîmes la fuite. Nous préférions la rue à cette maison tout à coup si vide, à cet appartement dont les murs paraissaient se refermer sur nous.

En vain : nous n'arrêtions pas de calculer où ils

devaient se trouver; nous croisions les doigts pour que leur voyage se déroule sans encombre. La langue de Milena se délia. Elle se mit à me raconter toutes sortes de choses. Elle parlait surtout d'Evžen et des années que nous venions de vivre; de sa peur de ne jamais le revoir aussi, peur qu'elle lui avait dissimulée mais qui la tenaillait et dont elle ne parvenait pas à se défaire.

Ce soir-là, nous restâmes longtemps à bavarder. Nous n'arrivions pas à nous décider à ouvrir les lits – pour la première fois seulement nos deux lits à nous. Nous nous étendîmes enfin côte à côte, faisant notre possible pour ne pas penser à la chambre vide de l'autre côté de l'entrée.

A compter de ce jour, Milena me marqua encore plus ouvertement sa confiance. Mais quand on a onze ans, on est encore terriblement jeune! Tout ce que je pouvais faire, c'était me borner à écouter. Il m'a fallu des années pour mettre un peu d'ordre dans ce qu'elle me racontait. Alors je m'efforçais simplement de la rendre un peu moins triste, sans grand succès d'ailleurs.

Dès son arrivée en Pologne, Evžen se mit à préparer notre venue. Il ne tarda pas à nous écrire. Il parvint à trouver un messager à qui il confia sa lettre et qui se chargeait aussi d'acheminer la réponse rapidement. Il insistait pour que nous hâtions notre départ, nous enjoignant de venir le retrouver au plus tôt, sans nous soucier du reste.

Il faut dire qu'à Prague Milena a du travail plein les bras. Aussi remet-elle son départ de semaine en semaine. La voie polonaise continue d'être totalement sûre et il y a tant de gens à faire passer d'urgence! De plus, ma mère se met à écrire pour le magazine illégal *V boj (Au combat!)*. Elle participe aussi à sa diffusion. Des tas de numéros s'empilent un peu partout dans la maison; dans le meilleur des cas, il y en a au moins un paquet sous la lingère.

Le sort de *Přítomnost* reste aussi incertain. Tout d'abord Milena parvient à y publier plusieurs articles que la censure laisse passer parce que le censeur n'est pas très au fait de la situation locale. Ensuite, lorsque *Přítomnost* est interdit, on se demande longtemps si la mesure est temporaire ou définitive.

La vraie raison de ce départ toujours retardé, c'est que Milena ne veut pas quitter Prague. Les envahisseurs ont merveilleusement réussi là où son père a jadis échoué : ils éveillent son patriotisme latent. Désormais elle sent qu'elle appartient à ce pays où elle est née et elle refuse de l'abandonner au temps du danger. D'ailleurs, pour tout avouer, elle n'est pas sûre de courir un danger direct. Pour ceux dont elle organise l'exil, il en va tout autrement. Pour les Juifs surtout, qui n'ont pas le choix : s'ils ne s'en vont pas, le camp de concentration les attend tôt ou tard. Milena, elle, pourrait passer cette période d'occupation en toute liberté – si l'on peut appeler liberté le régime du protectorat! Elle se sent plus utile sur place qu'elle ne le serait à l'étranger.

Alors, face à ce dilemme, elle se débat : d'un côté la patrie, de l'autre, le souci qu'elle se fait pour moi et la tristesse d'être séparée d'Evžen. Elle lui écrit. Elle l'assure de sa venue imminente. En même temps, elle repousse la décision de jour en jour.

Une foule d'inconnus viennent nous voir. Certains ne font qu'entrer et sortir, avant de disparaître à jamais. D'autres reviennent souvent, en habitués : c'est une époque où l'on sympathise facilement.

C'est aussi l'année où je prépare mon examen d'entrée au lycée anglais, encore ouvert à l'époque. Milena veut me faire apprendre le plus possible de langues étrangères. Elle-même regrette toujours de ne parler que l'allemand. Et comme j'ai été malade l'année précédente, comme j'ai manqué la classe, il me faut un répétiteur. Je crois que ce fut Jan Stern[1] qui recommanda Lumír Čivrný[2] à Milena. Lumír fit ainsi son entrée dans notre vie, d'abord pour m'aider dans mes révisions, puis comme collaborateur et ami de Milena. Lumír fut l'une des rares personnes que Milena n'oublia jamais, même une fois déportée. L'une des rares personnes qu'elle aura véritablement aimées pendant ces ultimes semaines de désespoir.

*

Arrivèrent nos dernières grandes vacances : juillet-août 1939.

Je ne sais par qui ou comment Milena entendit parler de Medlov. Je ne me souviens pas non plus très clairement pourquoi ce fut justement à Medlov qu'elle décida de m'envoyer et de me rejoindre en août.

Medlov était alors un camp de vacances pour jeunes filles. C'était un groupe de bungalows près d'un étang, au milieu des forêts. Il était dirigé par Leoš Stehlík et sa femme Aglája. C'était un lieu d'une beauté extraordinaire, indescriptible. J'y arrivai au début de juillet. Les premiers temps, je trouvais difficile la vie sans Milena : je me sentais mal à l'aise parmi les autres enfants. Ce mois de juillet reste d'ailleurs assez flou dans ma mémoire. Je me souviens simplement que je recevais de Milena des lettres pleines de tristesse. Elle se lamentait de voir Prague quasiment dépeuplée, tous ses amis égaillés; de ne croiser dans les rues que des visages étrangers.

A la vérité, ce printemps d'avant les vacances

---

1. En fait, ce fut Bedřich Stern (St. Fl. 1916-Auschwitz 1943) : étudiant et ami de Milena.
2. Lumír Čivrný (1915-) : poète, traducteur et homme politique tchèque.

n'avait été qu'un adieu, qu'un interminable adieu. Ceux qui restaient étaient comme pris dans un piège : un pied dans la prison de Pankrác, l'autre enlisé dans le protectorat.

La guerre était imminente. Les gens l'appelaient de leurs vœux tout en la redoutant. Personne ne savait s'il dormirait la nuit suivante dans son lit; si sa femme rentrerait à la maison, une fois les commissions faites. Des amis qui ne s'étaient pas vus pendant une semaine poussaient un soupir de soulagement en se rencontrant dans la rue : ils étaient encore libres, encore vivants!

Voilà dans quelle ambiance nous vivions. Et soudain, en ce mois d'août 1939, au cœur d'un été magnifique, Medlov se métamorphosa pendant un mois en un lieu de rencontre, rassemblant des acteurs, des peintres, des photographes, des journalistes, des poètes, des étudiants, des musiciens et j'en oublie – tous également conscients qu'ils vivaient là les dernières vacances qu'ils prendraient avant longtemps et que ces vacances étaient un don miraculeux du ciel.

Les maisonnettes, prévues pour quatre personnes, comprenaient chacune deux chambres à deux lits. Près de la forêt se dressait une maison commune avec salle à manger, petit bar, plus une cheminée qu'on allumait le soir et où on faisait brûler de vraies bûches de chêne.

Nous partagions une maison avec Jaromír et Riva; ils occupaient l'une des chambres, nous l'autre.

Les premiers jours, chacun s'appliqua à faire comme si de rien n'était, comme s'il n'y avait pas lieu d'avoir peur. On jouait à être des vacanciers ordinaires, sans autre souci en tête que de profiter du soleil, de la forêt, de l'immense étang où l'on pouvait nager ou patauger parmi les roseaux. Mais à quelques jours de la guerre et dans ce contexte d'incertitude générale, c'était impossible. Nous n'étions pas de simples estivants. Nous étions des gens en proie au doute et à l'angoisse. Nous ignorions si le lendemain nous réservait un lever de soleil ou une apocalypse.

Je ne vivais moi-même l'essentiel de ces appréhensions que de seconde main, par Milena interposée. A vrai dire, dès qu'elle fut là, à mes côtés, mon sentiment d'être abandonnée s'évanouit.

Les adultes, eux, sentaient le sol vaciller sous leurs pieds. En l'espace de quelques jours, ils firent bloc les uns avec les autres. Réunis, ils se sentaient plus rassurés que chacun seul dans son coin. Les liens se créaient à une vitesse vertigineuse. Les soirées rassemblaient tout le monde autour d'un feu de camp ou sur les terrasses des bungalows. Les gens se blottissaient ensemble, s'appuyaient littéralement les uns sur les autres. Le temps des amours était réservé au grand jour. Des couples s'aimaient dans les prairies ou les clairières voisines du camp sous le soleil de midi, puis ils s'en revenaient, encore enlacés, avant la tombée du soir. Les rapports les plus intimes étaient connus de tous. Plus rien n'était secret. Personne ne cherchait à faire de mystères.

Avant la dispersion, notre groupe eut l'idée d'organiser une manière de fête en plein air avec défilé de masques et spectacle forain. On installerait des stands dans tout le pré et il y aurait une exposition d'objets les plus divers. On se mit donc à répéter une pièce, la *Suite populaire* de Burián[1]. On confectionna des costumes, dessina des masques. Des acteurs fardés, déguisés en soldats d'opérette et en princesses de contes de fées parcouraient la prairie baignée de soleil. Aux alentours du camp, les accents stridents d'une marche improvisée retentissaient, et nous revenaient, distordus par

1. E. F. Burián (1904-1959) : homme de théâtre et dramaturge d'avant-garde, membre du Devětsil.

l'écho. L'on était un peu hystérique, comme dans un état de légère et permanente ébriété.

L'humeur de Milena était changeante. Plus exactement, elle éprouvait tous les états d'âme à la fois. Elle pétillait d'esprit et de mordant, elle débordait de courage et de joie folle, sans se départir d'une tristesse noire. La nuit, elle allait nager dans l'étang, s'y propulsant à brasses incurvées du fait de son infirmité, ou dérivant comme une noyée à la surface de l'eau. Lorsqu'elle regagnait la rive, un étudiant, instable et chancelant sur ses jambes, l'attendait près de la jetée. Il ne parvenait pas à garder son équilibre. Il marmonnait :

« C'est moi le fou de Pampelune
Qu'effraie l'air blafard de la lune... »

Tomba l'annonce du pacte germano-soviétique[1]. Suivie d'une seconde nouvelle : la guerre germano-polonaise avait éclaté.

Il nous était impossible de quitter Medlov. Il fallait attendre plusieurs jours encore, dans nos bungalows au cœur de la forêt. Finalement, il n'y eut plus de doute : ces vacances étaient bel et bien les dernières. Milena comprit qu'il était définitivement exclu pour nous de rejoindre Evžen. Peut-être une nouvelle filière apparaîtrait-elle avec le temps, mais cet espoir était devenu infime.

A la gare, aussitôt descendue du train, Milena s'arrêta. Elle inspira une bouffée d'air pragois et m'avoua qu'elle souhaiterait faire demi-tour et repartir, ne serait-ce que pour une heure. Ce même soir, elle déclara soudain, sans motif apparent : « Eh bien, cette fois, c'en est vraiment fini de notre tranquillité. Nous n'en aurons plus une seule heure... »

1. L'annonce du pacte germano-soviétique tomba le 23 août 1939.

Dès notre retour à Prague, Milena se remit au travail. *Přítomnost* avait cessé de paraître, Peroutka était en prison et toute une série d'amis et de connaissances avec lui. Chaque jour apportait son lot supplémentaire d'arrestations. L'appartement de la rue Kouřimská voyait défiler un cortège de visages connus ou inconnus. Jochi en était toujours un des habitués. Lumír, lui aussi, passait presque tous les jours. Et ne parlons pas de tous ceux qui, au fil des jours, s'adressaient à Milena pour mille et un services. Milena courait de bureaux en administrations et tentait de régler ce qui pouvait encore l'être...

La femme de Ferdinand Peroutka est l'un de ces êtres désemparés dont brusquement Prague compte des centaines. Sans doute cette dame élevée dans le luxe était-elle parfaite dans son rôle de poupée décorative. En revanche, comme épouse de journaliste emprisonné, elle ne fait vraiment pas le poids. Elle n'est même pas capable d'aller se renseigner au palais Petschek pour connaître le lieu de détention de son mari et lui faire parvenir le minimum de linge nécessaire. Finalement, c'est encore Milena qui fait la démarche. Lorsqu'elle se trouve enfin devant le commissaire responsable, son carton de chemises, de caleçons et de socquettes sous le bras, le flicard allemand l'interroge, accompagnant son ton moqueur d'un sourire plein de sous-entendus :

– C'est d'accord, madame, vous apportez du linge pour M. Peroutka. Mais pouvez-vous m'expliquer comment ce linge se trouve être en votre possession ?

C'était sans compter sur la logique implacable dont Milena sait faire preuve en pareille situation :

– C'est tout simple, M. le commissaire. Je suis entrée dans l'appartement de M. Peroutka, j'ai ouvert la commode dans laquelle il range son linge, j'ai mis ce linge dans le carton et le voici.

Le commissaire accepta la boîte sans autre commentaire.

Parmi les amis qui fréquentent à présent la rue Kouřimská, se trouvent Fredy Mayer et sa femme, deux êtres merveilleux, pleins de bonté. Ces deux-là ne peuvent guère être plus durement frappés qu'ils ne le sont déjà. A la suite d'une paralysie infantile, Fredy est resté boiteux. Sa femme, Jozi, est bossue. Leur fils, Petr, un beau garçon débordant de santé est mort de poliomyélite à dix ans. Leur fille, ils l'ont envoyée en Amérique. Maintenant, les voici seuls à Prague. La mort de Petr remonte à quelques mois, le départ de la fille est encore tout frais... Leurs retrouvailles familiales en Amérique sont plus qu'incertaines. Tout les inciterait à se lamenter sur leur sort. Ils ne se plaignent jamais. Ils viennent nous voir vers le soir. Ils s'assoient sur notre balcon, enveloppés de plaids. Ils plaisantent tant que c'est possible et ils se taisent lorsque ce ne l'est plus. Avec moi, ils sont gentils et attentifs comme seuls savent l'être avec les enfants des autres ceux qui ont perdu les leurs. Ils me prêtent des livres de la bibliothèque de leur fille pour me montrer à quel point ils me font confiance. Et toutes les fois que je leurs rends visite, ils me permettent de m'installer dans sa chambre et de m'amuser avec ses affaires.

Milena commence à être fatiguée au-delà de toute expression. Sa sensibilité est à vif. A chaque instant, un souvenir lui revient, qui lui fait perdre son calme. Elle sombre dans la dépression. Elle passe des nuits blanches, errant de station en station sur la bande d'ondes de sa radio. Chaque fragment de mélodie familière, chaque mot qui appelle un souvenir lui arrachent des larmes.

Un jour, elle m'envoya chercher quelque chose à l'épicerie de notre rue. Une fois en bas, j'aperçus par la fenêtre de la cave un chaton noir. Je décidai d'aller le chercher, en oubliant tout à fait que Milena m'attendait à la maison. Je mis un bon moment à me glisser dans la cave et à m'emparer du petit animal. Je me précipitai à l'épicerie, le chaton dans les bras. De retour à la maison, et dès le pas de la porte, je suppliai maman de me pardonner mon retard. J'appréhendais sa colère. Je lui montrai le chaton pour preuve de ma bonne foi.

Au lieu de se fâcher, Milena fondit en larmes. Non parce que je revenais si tard, cela elle le comprenait et l'excusait. Mais elle s'exclama, avec un ton de reproche dans la voix :

– Avant, c'était toujours moi qui apportais des chats à la maison. Maintenant je suis vieille et toi tu es grande. Et c'est à ton tour de t'occuper de tes propres chats...

J'aurais préféré recevoir une bonne claque plutôt que d'entendre ces paroles. Je mis longtemps à ne plus en vouloir au chaton noir.

Milena ne se sentait toujours pas directement menacée. Comme par miracle, ses démarches auprès des administrations allemandes se déroulaient sans répercussions fâcheuses, malgré l'aplomb certain qu'elles exigeaient parfois. La Gestapo ne s'intéressait pas particulièrement à elle. On aurait dit qu'elle se sentait invulnérable. Jusqu'au samedi 11 novembre 1939...

*

D'ordinaire, c'était moi qui avais la charge de récupérer les numéros complets du journal clandestin. J'avais onze ans, des cheveux coupés à la garçon, un pantalon de survêtement et un pullover par-dessus mon tricot rayé. Je ressemblais à n'importe quel enfant qui n'aurait jamais entendu parler de presse illégale. De toutes les personnes entrant en ligne de compte, j'étais manifestement celle qui risquait d'éveiller le moins les soupçons.

De plus, je n'étais pas tout à fait sans expérience – encore que les situations n'avaient rien de comparable – : lorsque Evžen avait eu maille à partir avec la police, les gendarmes venaient le chercher chez nous presque à tout moment, et même, une fois, alors qu'il était caché dans le coffre à édredons. J'avais souvent dû recevoir ces flics qui venaient frapper à notre porte. Et de l'air le plus innocent du monde, je leur affirmais qu'ils faisaient certainement erreur. Non Evžen ne venait pas de rentrer il y a quelques minutes. Non, il n'était pas à la maison. Et le mythe de l'innocence enfantine, que les anthologies et les chromos populaires entretenaient dans l'inconscient des foules, se chargeait du reste...

Cette fois-là, avant que je ne parte chercher les exemplaires de *V boj*, Milena téléphona à l'appartement de Vinohrady pour annoncer ma venue. Une voix inhabituelle, une voix tout à fait inconnue, lui répondit. Milena ne dévoila pas son identité. Elle se contenta de demander à parler au propriétaire de l'appartement. La voix répondit qu'il était sorti, qu'il ne tarderait pas à revenir. Ma mère raccrocha.

C'est à ce moment précis que se mit en branle l'avalanche infernale d'irresponsabilité, de légèreté, d'incompréhensible certitude de soi qui conduisait Milena à se dire, au plus profond de son être : « Moi, Milena, je ne risque rien. J'ai une chance de tous les diables. Puisqu'il ne m'est encore rien arrivé, c'est que la partie est décidément gagnée pour moi... »

Dès qu'elle eut raccroché, Milena commença à s'interroger sur cette présence étrangère dans l'appartement. Sa conclusion fut qu'il ne pouvait rien être arrivé de bien terrible là-bas. L'inconnu qui lui avait répondu et dont elle ne pouvait identifier la voix ne parlait-il pas tchèque? Il s'agissait donc probablement d'un simple visiteur. Si le propriétaire l'avait laissé seul, c'était forcément quelqu'un de confiance.

Le terrible était pourtant bel et bien arrivé.

Néanmoins, Milena téléphona une nouvelle fois, le dimanche, à l'appartement de Vinohrady. Curieusement, la même voix inconnue lui répondit, en tchèque, affirmant que le propriétaire n'allait pas tarder à revenir. La voix demanda aussi s'il y avait un message.

Milena raccrocha une seconde fois, en disant à nouveau qu'elle rappellerait. A moi, elle m'expliqua ce que je devais dire : je venais emprunter des livres dont elle, Milena, avait absolument besoin. Si, par extraordinaire, je tombais sur la Gestapo, je devais demander qu'on me laissât téléphoner à maman pour savoir de quels livres il s'agissait exactement.

Je partis donc, laissant chez nous, rue Kouřimská, Milena, une pile de journaux clandestins sous la lingère de Lumír installé dans un fauteuil.

Evidemment, la Gestapo était installée dans l'appartement. Un flic de langue tchèque vint m'ouvrir : il sentait la flicaille comme un diable sent le soufre. D'une voix mielleuse, il demanda ce que je désirais. Je dis que je venais chercher les livres que M. le major avait promis à maman et dont elle avait absolument besoin le jour même. Il demanda quels livres, et je répondis que je ne savais pas, mais que je pouvais téléphoner à la maison pour demander.

Jusque-là, tout s'était déroulé selon le scénario prévu par Milena. Après, ce fut une autre affaire.

Dès que j'eus dit que je voulais téléphoner chez moi, le flic éclata de rire et déclara qu'il allait m'accompagner en voiture, que nous demanderions à maman ensemble. Sur ces entrefaites, un deuxième homme sortit de la chambre. Celui-là parlait allemand. Ils se mirent à débattre qui irait où et comment. Finalement, le policier tchèque resta et l'Allemand m'accompagna à la voiture.

Je tentai de trouver quelque échappatoire, mais je ne parvins qu'à gagner un peu de temps.

C'est ainsi que nous arrivâmes rue Kouřimská, où Milena m'attendait toujours, avec Lumír dans son fauteuil et la pile des *V boj* soigneusement rangés sous la lingère.

Je continue à me demander encore aujourd'hui par quel miracle personne ne pensa à tirer la lingère au cours de la perquisition. Car la police fouilla la maison de fond en comble. Entre les livres de la bibliothèque, les hommes découvrirent une lettre de Jochi et plusieurs feuillets manuscrits qui leur parurent suspects et qu'ils confisquèrent, mais je pense que ce fut tout.

Ensuite ils m'annoncèrent qu'ils allaient emmener Milena pour une quinzaine de jours. Cela me semblait le bout du monde, mais je pris leur promesse au pied de la lettre, pensant vraiment qu'il ne s'agirait que d'une ou deux semaines. J'étais assez tranquille parce que personne n'avait tiré la lingère et que c'était ce que je redoutais le plus pendant la fouille.

Finalement, on emmena Milena, et Lumír avec elle, pour faire bonne mesure.

Avant son départ, Milena m'ordonna d'aller immédiatement chez les Mayer et de rester chez eux jusqu'à son retour.

Je demeurai seule dans l'appartement, avec le chat noir et le paquet illicite sous la lingère. Je me mis en demeure de le brûler feuillet par feuillet au-dessus du seau, mais il y en avait une grosse pile et une épaisse fumée ne tarda pas à sortir par toutes les fenêtres. Sur quoi M. Bělouch le concierge, accourut, tout affolé pour me demander, Seigneur Dieu, ce qu'il se passait chez nous. Je lui expliquai que j'avais simplement brûlé un torchon et que ça avait un peu fumé – et lui m'assura qu'il valait beaucoup mieux aller brûler ce torchon dans la chaufferie de l'immeuble... Milena avait le don de se faire aimer même des concierges...

Le temps de ramasser mes affaires scolaires, de fourrer dans ma poche ma brosse à dents et d'emprisonner le chat dans un sac pour pouvoir monter dans le tramway, il faisait noir comme dans un four. Une fois encore, je traversai de nuit la ville aux rues pleines de lumière dans un tramway tout illuminé.

J'avais laissé à leur place chez nous toutes les affaires de Milena. Elle s'égarèrent par la suite, je ne sais comment, lors du déménagement, quand mon grand-père liquida l'appartement de la rue Kouřimská. Avec elles disparut aussi le crucifix que Milena gardait suspendu au-dessus de son lit. Ma mère n'était pas croyante. Cette croix était tombée de son clou au moment de la mort de ma grand-mère Jesenská et le dernier geste de la mourante avait été de pointer son doigt sur sa fille et sur la croix par terre. Milena avait ramassé la croix, recollé le marbre brisé en deux endroits. Elle ne s'en était plus jamais séparée. La croix l'avait accompagnée de Vienne à Dresde, dans les meublés de Prague et dans l'appartement de la rue Francouzská, jusqu'à aboutir rue Kouřimská. Je ne sais quel sort bizarre la fit ensuite disparaître : je ne l'ai plus retrouvée.

IX

« ... On t'accuse de dix mille
crimes :
tu ne sais rien.
Tu as donc appris à ouvrir grand
tes yeux
pour qu'ils s'emplissent du vide
au-delà duquel il n'est plus rien,
excepté Dieu. »

Jakub Deml[1].

On emmena d'abord Milena au palais Petschek pour les interrogatoires. Puis on l'interna à la prison de Pankrác où elle resta en détention plusieurs mois. Quand la Gestapo eut achevé son enquête, Milena fut expédiée à Dresde pour y être jugée. Là elle dut encore attendre que son dossier vînt devant les juges. Des semaines et des mois passaient. La santé de Milena empirait de jour en jour. Tourmentée par des rhumatismes articulaires et une parodontose aiguë, ma mère attrapa de surcroît à Dresde une espèce de dermatose infectieuse qui lui dévorait la peau et qui était extrêmement tenace et douloureuse.

Cependant, le jour du procès arriva. Il faut rendre aux tribunaux allemands cette justice : ils respectaient presque trop scrupuleusement les for-

---

1. J. Deml (1878-1961) : prêtre catholique en rupture avec Rome, poète et essayiste.

mes. Milena reçut dûment, à la date voulue, son acte d'accusation. On lui offrit même un avocat commis d'office, comme elle était en droit de l'exiger vu la gravité de son cas, sa nationalité étrangère et le fait que le procès ne se déroulait pas dans sa langue maternelle. Milena refusa. L'allemand ne lui posait aucun problème et elle ne voulait pas se laisser couler par son défenseur. Donc, elle se défendit elle-même. Elle obtint un non-lieu faute de preuves à charge. De ce fait, le tribunal de Dresde cessa de s'intéresser à elle et la fit renvoyer à Prague.

Une fois à Prague, Milena aurait dû être relâchée. Mais la Gestapo pragoise ne libérait pas volontiers ceux qu'elle tenait déjà dans ses griffes. Le commissaire chargé de son cas estima qu'il s'agissait moins de ce que Milena avait réellement fait que de ce qu'elle était susceptible de faire une fois remise en liberté. Il décida de l'expédier au camp de concentration de Ravensbrück, pour assurer sa rééducation en loyale citoyenne du Reich. Pour une durée indéterminée, cela va de soi.

Moi, je vis ma mère pour la dernière fois au cours d'une visite qu'on m'autorisa à lui faire juste avant son transport à Ravensbrück. Mon grand-père était là lui aussi. Nous attendîmes ensemble l'arrivée de Milena dans un couloir du palais Petschek. Le vieux monsieur fronçait les sourcils, quant à moi je n'osais même pas lui adresser la parole. Tous deux nous avions les yeux fixés dans la même direction, l'angle du couloir par lequel on devait amener Milena. Quand elle s'avança enfin vers nous, escortée par le commissaire... je ne la reconnus pas.

Maigre, avec ses cheveux vagues jusqu'aux épaules, ses pommettes saillantes et ses immenses yeux bleus, elle ressemblait plutôt à la Milča de son père qu'à ma Milena à moi, la Milena de mon souvenir. Même mon grand-père resta un moment sans réaliser qui s'avançait vers nous. Je ne la reconnus vraiment qu'au mouvement de sa jambe dû à son genou raide.

Le commissaire nous accorda quelques instants de solitude dans son bureau. Tous les interrogatoires étaient terminés, il n'avait plus rien à craindre. Tout enthousiaste, avec des mots qui se bousculaient dans ma bouche, je me mis à raconter à Milena comment nous sabotions les cours d'allemand, n'apprenions pas nos leçons et faisions semblant de ne rien comprendre. Je pensais que ma mère allait être très fière de moi. Mais elle se contenta d'un petit rire et me traita d'ânon stupide. Elle m'expliqua que l'allemand était l'une des plus belles langues qui fussent et que la langue n'est pas responsable des gens qui la parlent. Mon grand-père se renfrogna légèrement. Il ne partageait pas les opinions de Milena, mais il ne dit rien.

La visite ne fut pas bien longue – ou j'eus peut-être seulement l'impression d'une grande brièveté, de quelques secondes à peine.

Milena m'avait toujours interdit de saluer en disant : « Je vous baise la main », et encore plus de faire un baisemain aux personnes âgées comme cela se faisait à l'époque. Elle jugeait ce geste ridicule, le taxait de singerie. Moi-même, je n'en saisissais pas très bien la signification. Mais là, assise près de la table à côté de ma mère, cramponnée à sa main aux jointures gonflées, à cette main maigre, blanche et brûlante, l'idée me vint, je ne sais comment, d'y déposer un baiser. Milena posa sur moi un regard scrutateur. Sans doute craignait-elle qu'il s'agît d'une simple grimace qu'on m'aurait enseignée tandis qu'elle était sous les verrous. Quand elle eut compris que ce n'était nullement le cas et que mon grand-père en était aussi étonné qu'elle, son visage s'éclaira d'un sourire terriblement tranquille et terriblement doux et deux énormes larmes roulèrent le long de ses joues.

A la fin de la visite, je l'accompagnai dans le couloir. C'est seulement là que je lui dis adieu. Je ne l'ai jamais revue.

Il m'a fallu attendre de lire le livre de Margarete Buber-Neumann, *Milena*, pour apprendre qu'elle se souvenait de cette visite avec la même émotion que moi et qu'elle en avait comme moi le cœur douloureux.

*

Les règlements qui régissent l'intérieur d'une prison ont été inventés il y a bien longtemps. J'ignore quand et par qui, mais depuis ce temps-là, ceux qu'on enferme derrière les barreaux sont tenus de s'y plier. L'auteur de ces règlements est oublié, comme le sont les critères qu'il a pris pour référence. Tout ce que l'on peut dire, c'est qu'ils sont analogues d'une prison à une autre, ou peu s'en faut, quels que soient les pays ou les régimes politiques.

Il y a là quelque chose qui donne la chair de poule. Quelque chose de terrifiant, qui passe l'entendement. Un système stéréotypé qui s'applique dès la seconde où une société décide de priver l'un de ses membres de liberté. Il est difficile d'en parler. On ne peut que le décrire, sans trop se faire d'illusions : comment ferait-on comprendre à quelqu'un cette chose qu'on s'explique si mal à soi-même ?

Pour ma part, j'ai passé une année dans la prison pour femmes de Pardubice. Auparavant, j'avais lu de multiples témoignages sur la vie des camps de concentration, des prisons, de Ravensbrück. Les anciennes compagnes d'internement de Milena m'en avaient elles aussi dit plus qu'assez. Pourtant, une fois à Pardubice, je compris qu'aucun de ces récits ne m'avait vraiment préparée à cette expérience.

Soyons honnête : il ne me viendrait pas une seconde à l'idée de comparer les camps de concentration à la prison de Pardubice. A mon époque, personne n'y risquait la peine capitale. La chambre à gaz n'y menaçait personne. On n'était pas tenu d'afficher une santé florissante pour éviter de se voir liquidé en tant qu'être inférieur qu'il ne valait pas la peine de maintenir en vie.

Mais là n'est pas la question.

Je ne critique pas non plus les appels, si comparables dans certains de leurs détails – je comprends aisément qu'il faille dans toute prison compter les détenus deux fois par jour pour vérifier qu'ils sont tous là. Sans doute n'est-il pas possible de le faire autrement qu'en les alignant cinq par cinq et en les additionnant comme autant de poires. Cela doit être. Il n'est guère possible de procéder autrement.

Ce que j'incrimine, ce sont les critères selon lesquels on désigne certains détenus comme privilégiés, critères qui permettent d'instituer une hiérarchie parmi les incarcérés. C'est tout le système de l'autogestion pénitentiaire, avec sa manière d'exploiter la volonté de puissance qui existe chez tout homme et a fortiori chez ceux qu'on a privés de tous leurs droits. Il est totalement absurde de croire que celui qui arrive dans une prison va s'y sentir solidaire avec ses codétenus. Il peut éprouver un sentiment de solidarité à l'égard de quelques détenus dont il gagne l'amitié à mesure que le temps passe... mais non à l'égard de tous ceux avec qui il se trouve enfermé. C'est impossible. Et tout prisonnier qui parvient à détenir une parcelle de pouvoir, si infime soit-elle, en use aussitôt – à de rares exceptions près – pour compenser l'atteinte faite à son amour-propre : ne l'a-t-on pas mis en cage comme une bête? n'est-il pas impuissant face à la privation de sa liberté?

Le système d'autogestion appliqué dans les prisons repose sur ce seul principe – que ce soit à Pardubice ou dans les camps de concentration allemands. On compte sur lui en choisissant les kapos de l'un ou l'autre sexe, les chefs de cellule, d'équipe ou de chantier. Bref, il fait partie intégrante de la vie carcérale quelle que soit la société gestionnaire des prisons.

Pour comprendre ce qui se vivait dans les camps de concentration nazis, il ne suffit pas de tout savoir sur les gardiens en uniforme. Il faut aussi connaître à fond la mentalité du prisonnier. Car les gens en uniforme ne sont pas seuls à rendre infernale la vie d'un détenu, que celui-ci soit derrière des barbelés, des barreaux ou la grille d'un portail. Interviennent aussi, et parfois au premier chef, les compagnons de détention.

Ne croyez pas que ce soit l'affaire du hasard. Ni que cela dépende des voisins de cellule sur qui vous tombez. Cela fait partie du système. On y compte. Même si les codétenus finissent par devenir vos ennemis directs, le véritable ennemi reste celui qui, en pleine connaissance de cause, a instauré cet ordre qui autorise, qui impose même, ces rapports de dominant à dominé. Cet ordre, chaque régime politique le reprend au régime précédent, avec ses stéréotypes et son ineptie. Il s'hérite comme le saladier de grand-père; il se transmet comme le témoin d'une course de relais. Cet ordre empêche un régime d'atteindre son but, même lorsque ce régime incarcère vraiment les gens pour les rendre meilleurs. Car dès la seconde où il reprend à son profit ce type d'organisation, ce régime se condamne à l'échec.

Ce que j'ai appris concernant le séjour de Milena à Ravensbrück est l'un des témoignages les plus effrayants quant aux effets de la haine, de l'aveuglement, du fanatisme et de l'intolérance. On y voit à quoi aboutit la mise en pratique des principes que je viens d'évoquer.

J'ai sous les yeux les récits que m'ont faits plusieurs compagnes de Milena, fragments de souvenirs, anecdotes, histoires que leur mémoire a retenues. Il en est d'intéressants. D'autres sont même tout à fait caractéristiques de Milena. Pourtant, je n'ai guère envie de les raconter. Justement parce que ce ne sont que des anecdotes et qu'ici c'est de tout autre chose qu'il est question. Ces histoires ne nous apprennent rien de nouveau sur Milena : elles témoignent toujours de son courage, de son énergie, de son art de convaincre. Malgré sa causticité, en dépit de tout ce qu'elle avait vécu et des souvenirs qu'elle gardait si frais dans sa mémoire, ma mère a su conserver jusqu'au bout cet humanisme inné et spontané qui était le sien et que le moindre de ses actes, la moindre de ses attitudes reflétaient. Elle a fait preuve d'une force quasiment surhumaine qui l'aida à supporter même l'insupportable.

Milena se fit un grand nombre d'amis à Ravensbrück. Après la guerre, j'ai rencontré certaines des prisonnières qui l'avaient aimée et qui s'étaient efforcées avec leurs pauvres moyens de lui rendre la vie moins pénible.

Mais un événement grave s'était produit à Ravensbrück. Je ne l'appris que par la lettre de cette déportée qui, plus tard, m'apporta une dent de ma mère. Elle m'écrivit en effet dès son retour du camp; je ne la rencontrai que par la suite. Dans sa lettre, elle essayait de faire la lumière sur tout ce que Milena avait dû supporter et de le faire le plus clairement possible. J'étais encore trop jeune pour bien comprendre. Ce n'est que plus tard, petit à petit et fragment par fragment que je suis parvenue à reconstituer les faits – ces faits que l'on s'est par la suite attaché à laisser dans l'ombre ou à dénaturer.

Au moment où Milena arrive à Ravensbrück, toutes les Tchèques du camp l'accueillent amicalement. Les communistes, qui ont entendu parler d'elle et qui connaissent ses positions, lui témoignent elles-mêmes leur sympathie. Aucun lien solide ne les attachait à ma mère, mais elles ne lui manifestèrent aucune hostilité.

Bien entendu, Milena accepta volontiers cette sympathie : prolonger jusqu'ici les antagonismes pragois eût été absurde et, dans les conditions où ces femmes se trouvaient, elles avaient tout intérêt à se serrer les coudes plutôt que de se quereller.

Ce statu quo prévalut un certain temps et la paix qui régnait au camp semblait devoir durer.

L'arrivée de Margarete Buber-Neumann à Ravensbrück remit tout en question. L'itinéraire qu'elle avait suivi était complexe. Margarete avait été l'épouse du secrétaire général du Parti communiste allemand, Heinz Neumann. Neumann s'était rendu en URSS pour le congrès de la IIIe internationale et Staline l'avait retenu auprès de lui en tant que délégué. Greta avait alors décidé de rejoindre son mari à Moscou.

C'était l'époque où un certain nombre de communistes croyaient encore que les PC de tous les pays avaient les moyens d'enrayer la montée du fascisme. Heinz Neumann partageait cette opinion. Au congrès, il prononça un discours où il défendit cette thèse.

Staline, lui, rejetait cette position dans son principe même. Il faisait tout son possible pour l'étouffer et la démolir. Le discours de Heinz Neumann le rendit fou furieux. Neumann fut jeté en prison et exécuté peu après.

Des années plus tard, les révélations de Nikita Sergheïevitch Khrouchtchev replaceront toute cette affaire dans le contexte de la politique stalinienne de l'époque dite du culte de la personnalité et le XXᵉ congrès réhabilitera Neumann[1].

Pour le moment, nous voici en 1939. Le pacte germano-soviétique vient d'être conclu. Staline livre au Troisième Reich tous les communistes allemands que les miliciens soviétiques raccompagnent jusqu'aux frontières pour les remettre directement entre les mains de la Gestapo.

Margaret Buber-Neumann se trouve parmi eux. Transportée d'abord à Dresde – sans doute pour y être interrogée –, elle est ensuite, comme Milena, envoyée à Ravensbrück.

Bien entendu, Milena ne reste pas indifférente à son drame. En revanche, lorsque les communistes tchèques découvrent qui est Greta, quand elles l'entendent décrire les camps de concentration soviétiques et qu'elles prennent connaissance de certains épisodes de sa vie, elles font le vide autour d'elle.

(La lettre de l'amie de Milena m'expliquait que Ravensbrück était encore un camp très supportable au moment où Greta y fut envoyée. C'était une sorte de vitrine que les Allemands présentaient aux observateurs de la Croix rouge internationale. Une fois que Greta eut fait le tour du camp, elle déclara aux camarades tchèques que Ravensbrück était une véritable maison de repos à côté des geôles staliniennes et qu'elles pouvaient s'estimer heureuses de se trouver là plutôt que dans une prison soviétique! Ces propos leur firent dresser les cheveux sur la tête. Dès lors, elles évitèrent Greta comme la peste.)

*

Seulement voilà : loin de se solidariser avec leur animosité envers Greta, Milena se lia d'amitié avec

1. *Cf.* Milena Jesenská, *op. cit.*, notices biographiques de D. Rein.

elle. Elle se fit raconter par le menu toute son histoire. Elle n'avait aucune raison de ne pas la croire. Pour elle, rien de ce que Greta racontait n'était vraiment nouveau. C'était simplement la confirmation de ce qu'elle savait déjà plus ou moins.

Rappelons qu'avant son interdiction, *Přítomnost* avait publié un article de Milena dont la lecture prouve que les révélations de Greta n'avaient rien d'extraordinaire. La plupart des communistes internées à Ravensbrück ne pouvaient qu'en avoir eu vent.

En disant cela, je pense à l'article consacré au sort des combattants soviétiques engagés dans les Brigades internationales, auxquels Staline avait fermé les frontières de l'URSS à la fin de la guerre d'Espagne : la patrie des soviets ne pouvait accepter que revienne en son sein quiconque avait goûté à la vie du dehors, quiconque aurait pu témoigner de la réalité capitaliste.

Je ne crois même pas que Milena ait été autrement surprise d'apprendre que les communistes allemands avaient été directement livrés à la Gestapo; ce qui ne signifie nullement qu'elle n'en a pas été bouleversée. Ce que Margarete lui révélait sur le sort réservé à son mari, sur son exécution et sur les circonstances qui avaient entouré celle-ci, ne pouvait que renforcer l'opinion que Milena se faisait du régime stalinien, à savoir qu'il n'avait rien de commun avec une libération et que choisir le pouvoir stalinien plutôt que le fléau fasciste revenait à préférer la peste au choléra. Milena ne s'était jamais privée de dire à haute voix ce qu'elle pensait. Elle fit de même à Ravensbrück, ce qui lui valut par la suite plus d'une condamnation.

Ainsi, la quarantaine que les communistes infligeaient à l'origine à la seule Greta, s'étendit peu à peu à Milena. Dans les premiers temps, certaines détenues tentèrent de raisonner ma mère, la poussèrent à désavouer Greta, à rejoindre leurs rangs. Elles semblaient même prêtes à lui pardonner, à passer l'éponge sur sa faute.

Milena refusa de faire amende honorable. Elle estimait qu'elle n'avait rien à se faire pardonner. Bien sûr, ce conflit la contrariait, car toute rupture est amère et difficile à supporter lorsqu'on est privé de liberté. Mais elle ne pouvait se soumettre, même si son attitude l'exposait à un danger réel : très souvent en effet les communistes avaient le pouvoir d'intervenir en faveur ou au détriment d'autres détenues.

Dans sa lettre, l'amie de Milena relata la suite des événements sans détour et sans phrases. Les pots de confiture passèrent hors de portée. La ration de pain fut diminuée. Milena se trouva mise à l'écart.

En fait, il faut un peu nuancer les choses. Il n'y avait pas que des communistes à Ravensbrück, et toutes les communistes ne firent pas preuve de la même hostilité.

Nous voici revenus à ma réflexion de tout à l'heure sur l'ordre qui règne dans les prisons et où le système joue sur la petite parcelle de pouvoir laissée entre les mains des détenus. On n'a pas forcément le courage de se mettre tout le monde à dos. Quand il faut choisir de partager le sort d'une brebis galeuse ou d'imposer silence à son désaccord, la plupart penchent vers la seconde solution. On peut difficilement leur en vouloir. Personne n'est tenu d'être un héros.

Cependant, avec le temps, la haine s'émoussa. Les soucis quotidiens la firent passer au second plan : elle cessa d'être manifeste à tous les instants, certaines prisonnières arrêtèrent d'en parler. Mais la trêve n'alla pas plus loin. Cette haine est restée vivace. Elle a poursuivi Milena au-delà même de la mort.

Les communistes échouèrent, mais seulement de

justesse, dans leur entreprise : elles ne parvinrent pas à ostraciser totalement Milena. Heureusement, quelques détenues osèrent résister à leur pression. Il y eut surtout Greta, proche de ma mère autant qu'on pouvait l'être, prête à faire pour elle tout ce qui était humainement possible. Il y eut aussi cette autre déportée, celle de la lettre, et puis un certain nombre de femmes desquelles je sais fort peu de choses, sinon rien.

Une chose est néanmoins certaine et indiscutable : dans sa détresse la plus profonde, Milena n'en appela ni à ces femmes ni à aucun d'entre nous, qu'elle avait laissés derrière elle. Elle, l'athée convaincue qu'elle était avant son arrestation, cria vers Dieu du fond de sa solitude.

*

Depuis Dresde, la santé de Milena était mauvaise. Son séjour à Ravensbrück ne pouvait, on le comprend, que la dégrader davantage. Vers la fin de 1943, une néphrite vint s'ajouter aux nombreux autres problèmes. En elle-même, cette maladie eût été suffisamment grave, mais Milena était aussi de ces gens pour qui le physique dépend directement du psychique. Cela n'a rien d'original en soi. Pourtant, chez Milena, cette relation se manifestait avec une intensité très supérieure à celle que l'on observe chez le commun des mortels. Ma mère était dotée d'une immense force morale. Tant que cette force était restée intacte, elle lui avait permis de surmonter tous les obstacles.

Je ne prétends pas que Milena aurait pu réchapper de sa néphrite. Ce que je veux souligner, c'est que l'inimitié de son entourage et son isolement ont sapé ses forces morales. Du même coup, sa capacité de résistance physique fut elle aussi amoindrie et sapée.

Milena, qui était fille de médecin et qui avait

elle-même quelques notions de médecine, connut l'horreur de voir ses mains se transformer d'heure en heure. Sa carnation, son teint, tout indiquait une maladie grave. Milena ne savait pas qu'il s'agissait d'une affection rénale – personne ne se trouvait là pour en établir le diagnostic.

Jusqu'à l'arrivée du Dr Treite.

Dans son livre, *Milena*, Margarete Buber-Neumann décrit leur rencontre en ces termes :

« Milena fit la connaissance du Dr Treite à l'infirmerie et il la traita avec une prévenance particulière. Il lui inspira confiance en lui indiquant qu'il avait assisté aux cours du Pr Jan Jesenský pendant ses études à Prague. Treite transféra sur la fille la considération qu'il avait pour le père. Milena lui parla de ses maux. Il l'examina et établit qu'elle avait un abcès à l'un de ses reins et qu'elle ne pourrait s'en tirer qu'au prix d'une opération. Milena opta pour cette ultime chance de conserver la vie – elle aimait tant la vie. En février 1944, on l'admit à l'infirmerie du camp et Treite fit une transfusion de sang. Lorsque je lui rendis visite, à midi, elle me montra ses mains, transportée de bonheur : " Elles sont toutes roses, comme celles d'une personne en bonne santé... "

« Au cours de l'opération elle se réveilla, et, s'adressant à Treite, lui demanda de lui montrer le rein. Le médecin obéit, puis on l'endormit à nouveau.

« Pendant l'interruption de midi, je me précipitai à l'infirmerie, le cœur serré, entrai dans la chambre où elle était couchée, muette et pâle comme une morte. Encore sous l'effet de l'anesthésie, Milena se mit à parler d'un ton pathétique et solennel, récitant le Pater noster en tchèque[1]. »

1. M. Buber-Neumann, *op. cit.*, p. 263-264.

Après l'opération, l'état général de Milena connut un léger mieux. Elle recevait les soins d'un médecin compétent. Les transfusions répétées que Treite lui administra lui furent aussi bénéfiques.

Toutefois, la santé de ma mère empira brusquement en mai. Le deuxième rein était atteint à son tour. Une nouvelle opération n'aurait servi à rien.

Son amie Greta raconte ainsi les derniers instants de Milena :

« L'après-midi du 15 mai on vient me faire savoir au travail que Milena est à l'agonie. Je n'hésite pas une minute, j'abandonne tout simplement mon poste. Qu'est-ce que je risque, aussi bien ? Lorsque j'arrive, Milena, moribonde, est en pleine euphorie. Son visage est rayonnant, ses yeux bleu foncé étincellent et lorsque je m'approche d'elle, elle tend les bras, me saluant de ce geste magnifique qui lui est particulier. Elle ne peut plus parler.

« Ses amies tchèques arrivent de tout le camp, elles font cercle autour de son lit, se tiennent devant la fenêtre; Milena les embrasse toutes d'un regard plein de félicité, elle prend congé de la vie. Le soir, elle perd conscience. Elle lutte avec la mort jusqu'au 17 mai. Alors seulement, je retourne à la baraque. La vie a perdu tout sens pour moi.

« Lorsque la " colonne des morts " chargea le cercueil de Milena sur la voiture, je demandai qu'on me laisse l'accompagner.

« C'était une journée de printemps, une pluie chaude tombait goutte à goutte, le garde, à la porte du camp, pouvait penser que c'était la pluie qui ruisselait sur mes joues.

« On entendait le chant triste d'un oiseau aquatique dans les roseaux au bord du lac. Nous déchargeâmes la caisse contenant la morte et la portâmes au crématoire. Deux hommes, des droits communs avec des têtes d'aides-bourreaux, relevèrent le couvercle; lorsque nous soulevâmes la dépouille de Milena, les forces me manquèrent et l'un d'eux dit d'un ton railleur : " Tu peux l'empoigner franchement, de toute façon, elle ne sent plus rien ! "

« Comme l'avait prescrit le docteur Treite, le corps de Milena fut exposé dans l'entrée du crématoire. Il avait envoyé un télégramme au professeur Jesenský pour lui annoncer la mort de sa fille, lui indiquant qu'il pouvait faire transporter son corps à Prague[1]. »

1. *Id.*, *op. cit.*, p. 267-268 (légèrement modifié).

X

« Lorsque tu seras dans ton lit, que tu entendras les aboiements des chiens dans la campagne, cache-toi dans ta couverture, ne tourne pas en dérision ce qu'ils font : ils ont soif de l'infini, comme toi, comme moi, comme le reste des humains à la figure pâle et longue. »

Comte de LAUTRÉAMONT.

LE télégramme du docteur Treite arriva bel et bien à destination, accompagné – ou suivi de très près – du permis de faire transporter à Prague le corps de Milena.

Mais l'annonce de la nouvelle porta au professeur un tel coup qu'il fut hors de question qu'il entreprît un voyage en Allemagne. Il était complètement effondré.

Tout d'abord, il ne vit d'autre issue que le suicide. Il fallait le surveiller sans cesse. Il était totalement prostré. Ses forces physiques et morales l'avaient abandonné. Voyager jusqu'en Allemagne dans cet état afin de rapatrier le cercueil de Milena eût signifié sa mort.

Notons encore qu'il était déjà âgé et qu'il n'aurait probablement pas survécu aux attaques aériennes plus ou moins continuelles en ce temps-là.

Mon grand-père se remit, quoique difficilement.

178

Il lui fallut de longues semaines avant de recouvrer la raison et sa guérison ne fut jamais complète. Il ne faisait aucune allusion à la mort de maman. Dès qu'il fut un peu rétabli, il prit soin de me dissimuler sa douleur. Au début, nous craignions qu'elle ne se retourne contre sa volonté de vivre ou que ses nerfs craquent, le faisant sombrer dans la démence : il divaguait par moments et tenait alors des propos incohérents. Sur un seul point sa raison demeura troublée et je n'ai jamais osé demander s'il en était conscient ou si, contre ce brin de folie qui lui restait, il ne pouvait rien. Depuis la mort de ma mère, il ne m'appela jamais autrement que Milča. Il savait clairement que j'étais sa petite-fille et non sa fille, et la confusion n'allait jamais au-delà du prénom. Quant à mon vrai nom, je ne le lui ai plus jamais entendu prononcer.

La mort de Milena bouleversa profondément une autre personne : Jaromír. Il se trouvait alors seul à Prague : je ne sais plus où était Riva, peut-être quelque part en traitement ou bien chez une amie à la campagne. Je tenais à lui apprendre moi-même la mort de Milena. Mais il était sorti; j'ai dû tout raconter à ma grand-mère, en la suppliant de ménager Jaromír au maximum. Il fallait lui éviter toute émotion. Un deuxième infarctus lui aurait été fatal.

Je revins le jour suivant. L'appartement était tout enfumé, les cendriers débordaient de mégots. Jaromír, qui avait scrupuleusement respecté les ordres médicaux jusqu'ici, était installé devant je ne sais combien de tasses de café à moitié bues. Ses paupières étaient gonflées de larmes.

Pour la troisième fois, je partis annoncer la mort de Milena. Lumír Čivrný comprit immédiatement à la vue de ma robe et de mes bas noirs. Il ne chercha pas à me consoler. Il ne dit pas une seule de ces phrases réconfortantes dont on m'avait abreuvée jusqu'à l'écœurement durant les jours précédents. Sans hésiter, il m'emmena marcher dans Prague. Il me parlait de ma mère comme si elle était encore en vie. Pendant une heure, peut-être deux, je ne sais pas, nous parcourûmes les rues de la capitale. Ce fut l'unique personne à avoir une réaction humaine à mon égard. Cette promenade me permit enfin de respirer un peu plus librement.

*

J'ignorais encore à cette époque combien Milena s'était attiré de haine. Et même si j'en avais eu connaissance, jamais je n'aurais pu imaginer que cette haine ne s'éteindrait pas avec la vie de ma mère, qu'elle irait si possible en s'avivant.

Le premier commentaire sur la mort de Milena fut celui que Hilda Synková prononça à l'intérieur même du camp de concentration. (J'en ai eu connaissance grâce à cette même lettre qui devait m'apprendre aussi tout le reste.) Voici ce commentaire : Mieux valait que Milena fût morte. Elle n'aurait de toute manière pas eu sa place dans la Prague nouvelle. Ni elle, ni aucun de ses semblables.

Cette phrase est loin d'avoir été la seule de son espèce. Simplement c'est la seule dont les termes exacts m'aient été rapportés.

Une fois la guerre finie, les amis de Milena rentrèrent au pays. Parmi eux se trouvait aussi Evžen. Aucun de ces amis n'a jamais dit du mal de ma mère devant moi et j'aurais été bien en peine d'imaginer que tant de gens continuaient à cultiver leur haine au-delà de sa mort, en dépit des circonstances dont elle s'était accompagnée.

Jusqu'en février 1948[1], le nom de Milena appa-

1. Février 1948 : date du « coup de Prague », qui marqua l'installation du régime communiste.

rut à plusieurs reprises dans la presse. Il y eut un article sur elle dans un magazine féminin. Ici ou là on parla d'elle en termes favorables.

A partir de février 1948, ce fut le silence. Un silence qui persista jusqu'à la publication des *Lettres à Milena* de Franz Kafka.

Je n'ai entendu parler de ces lettres que plusieurs mois après leur parution. Bien entendu, j'interrogeai Evžen et les autres amis de Milena : Comment ces lettres étaient-elles sorties du pays ? Leur éditeur, M. Willi Haas, prétendait que Milena les lui avaient données en jouissance et en toute propriété.

Or voici ce que j'appris : avant qu'il ne quittât le pays, M. Haas avait demandé à Milena de lui prêter les lettres de Kafka : il faisait un travail qui nécessitait qu'il les consulte. Milena les lui confia. Elle jugeait aussi que ces lettres seraient plus en sécurité à l'étranger pendant la durée de la guerre, elle les lui laissa donc en dépôt. Non pour les publier, mais pour qu'il les mît en lieu sûr jusqu'au retour de la paix.

Après la guerre, M. Haas retoucha le texte de ces lettres – il semble même les avoir expurgées en partie –, et il les publia sans rien demander à personne.

En réalité, ces lettres me revenaient de droit. Je n'ai pourtant jamais élevé la moindre protestation. Pour de nombreuses raisons. D'une part, le mal était fait, puisqu'elles étaient publiées. D'autre part, j'étais en Tchécoslovaquie et il m'aurait été difficile de traiter cette affaire avec quelqu'un qui vivait en Alemagne fédérale. Enfin, j'avais tellement d'autres soucis que je n'avais pas le temps de m'occuper de cela.

Vers 1963, j'ai pris mon courage à deux mains. J'ai écrit à M. Haas pour lui rappeler que les lettres que Kafka avait envoyées à ma mère étaient en tout état de cause ma propriété et pour lui demander ce qu'il avait fait des originaux. La réponse arriva pratiquement par retour du courrier. Une réponse à vous couper le souffle.

M. Haas se disait ravi d'avoir de mes nouvelles; mais il se disait contrarié que ma lettre fût purement intéressée. Lui-même n'avait jamais retiré le moindre profit des lettres à Milena mis à part les honoraires minimes qu'il avait touchés pour leur mise en forme, honoraires qu'il estimait ne pas avoir à partager avec moi. (Je ne lui en demandais pas tant.) Selon M. Haas, les lettres de Kafka faisaient partie de l'héritage littéraire de la planète. Pour cette raison, il les avait déposées dans un coffre-fort du musée Kafka de Jérusalem : en cas d'une guerre atomique – la menace en planait sur le monde –, elles risqueraient moins de se trouver endommagées. Ces lettres, il les avait reçues de Milena dans des circonstances si intimes qu'il ne souhaitait pas les divulguer. Il se disait très surpris de ma démarche : comment pouvais-je envisager de tirer un profit pécuniaire de l'amour passionné et malheureux qu'avait vécu ma mère?

Cette fois, je fis une entorse aux bonnes manières : je laissai la lettre sans réponse. En fait, qu'aurais-je pu dire?

Voilà donc l'histoire des lettres. A la vérité, j'entre dans tous ces détails pour leur intérêt anecdotique et pour souligner que le destin d'une personne ne s'arrête pas à sa mort, loin s'en faut. Seule disparaît sa propre capacité d'intervenir et de se défendre.

Vint un temps où Kafka cessa d'être chez nous un auteur interdit. Le nom de Milena reparut alors même dans certains magazines tchèques ou certaines études littéraires, toujours en relation avec Kafka. Bien sûr, il n'était pas question de mentionner les autres activités de ma mère, mais ces quelques allusions suffirent quand même à remuer la vase.

Dans le magazine *Kulturní Tvorba*, Mme Gustina Fučíková fut l'une des premières à lancer une attaque en règle contre Milena. Attaque plutôt violente, il faut le reconnaître; j'y ai déjà fait allusion dans le préambule de ce livre. Elle soutenait entre autres que, de par ses opinions sur l'URSS, Milena avait sapé le moral des déportées de Ravensbrück et qu'elle les avait poussées vers la dépression. Mais qui démoralisait qui dans le camp de concentration? Voilà qui reste à déterminer! L'article prétendait en outre que Milena n'avait jamais adhéré au parti. Il contenait de multiples autres erreurs ou plus exactement des demi-vérités. Les choses se sont passées ainsi : Milena a bel et bien fait une demande d'adhésion au parti communiste et sa demande a même été parrainée par un camarade alors dans la clandestinité – il se cachait chez nous –, je veux parler de Klement Gottwald[1] en personne.

Par ailleurs, Milena a travaillé pour le parti tant qu'elle a cru en lui. Elle a même abattu alors une besogne assez colossale.

Mais il faut en même temps reconnaître que ce travail lui importait plus que la paperasserie et qu'elle ne versa qu'irrégulièrement, ou même pas du tout, ses cotisations.

Je décrochai le téléphone pour parler à Mme Fučíková. Je voulais essayer de faire la lumière au moins sur ces faits précis. Ma démarche fut vaine. Mme Fučíková resta campée sur ses positions. Je la priai d'envisager au moins qu'elle pouvait se tromper. La chose ne s'était-elle pas déjà produite? N'avait-elle pas témoigné au procès Slánský contre un homme réhabilité par la suite? (Un peu tardive-

---

1. Klement Gottwald (1896-1953) : secrétaire général du P.C. tchèque dès 1929, président du Conseil à partir de 1946 et président de la République tchécoslovaque de 1948 à sa mort.

ment, avouons-le, puisqu'il avait été pendu entre-temps...)

Mme Fučíková ne recula pas d'un pouce : son témoignage contre Slánský était irréprochable, tout comme les procès. Elle aussi, par la même occasion. Je raccrochai. Qu'y avait-il d'autre à faire ?

De nouveau, ce fut le silence... Jusqu'au jour où le Pr Eduard Goldstücker[1] prit le parti de réhabiliter Milena dans *Literární Noviny (Les Nouvelles Littéraires)*. Autant jeter une pierre dans un nid de frelons. La réplique vint sous la forme d'un article de M. Kolar, intitulé « Les amours d'une renégate ». On devinait entre ses lignes plus de rage qu'il n'est généralement de bon ton dans une polémique de journalistes.

Dans les autres pays, les conférences et les articles sur Milena ne manquaient pas, mais là n'est pas mon propos. Je n'avais guère les moyens de suivre le débat hors de nos frontières. Je n'en entendais parler que par hasard, et je ne peux rien en dire de précis.

Reste un dernier détail : si j'évite de nommer certaines personnes qui sont restées fidèles à Milena après la guerre, si je ne mentionne pas des gens dont elle gardait le souvenir même après leur exil et sa propre arrestation, c'est de peur que cela ne leur soit désagréable. Car il n'est pas tout à fait certain, aujourd'hui encore, qu'avoir connu Milena Jesenská ne soit consigné comme une faute dans un dossier politique.

---

1. Pr Eduard Goldstücker : écrivain, germaniste, initiateur du concept « Socialisme à visage humain ».

POSTFACE

« C'ÉTAIT donc ça, ce dont notre mère ne voulait jamais parler ! » Lorsque nous, les enfants de Jana Černá, avons lu ses souvenirs sur Milena Jesenská, notre première réaction a été la surprise. Moins à cause du contenu du livre que du simple fait de son existence. Nous avions compris, dès l'âge de neuf-dix ans, que grand-mère était une femme dont l'entourage de notre mère conservait fidèlement la mémoire. Bien des gens venaient nous rendre visite, pour voir ses petits-enfants, mais surtout pour venir en aide à Jana, la fille de Milena, lorsqu'elle se trouvait une fois de plus dans les ennuis.

Ils ne pouvaient pas faire grand-chose : les idées de Jana sur la manière de se comporter dans l'existence différaient par trop des leurs. La manière de notre mère ne lui réussit pas toujours. Elle s'empêtra dans toutes sortes de difficultés avec sa famille, ses amis et les administrations, et il lui fallut fort longtemps pour trouver enfin son équilibre, après quatre mariages, une année de prison et des décennies de désarroi. Bien qu'elle parlât librement de tout avec ses enfants, elle devenait muette dès qu'il était question de Milena Jesenská. Aussi avions-nous appris, au fil du temps, à éviter ce sujet.

Ses difficultés provenaient sans doute en grande partie de son départ dans la vie, de sa jeunesse pas précisément heureuse. Elle est née le 14 août 1928 à Prague. L'accouchement fut extrêmement difficile, et Milena Jesenská souffrit de ses suites des années durant. Elle aima son enfant, à sa façon impulsive, et bien que ce fût une fille et non le garçon espéré; mais elle se montra incapable d'assumer longtemps le rôle de mère attentionnée. C'était une brillante journaliste, fourmillant d'idées, et elle ne tarda pas à s'absorber à nouveau dans son travail, laissant largement le soin de l'éducation de sa fille à une gouvernante.

Quelques années plus tard, l'union de Milena avec Jaromír Krejcar fit naufrage. Elle s'installa avec Jana dans un petit appartement, et c'est alors seulement, semble-t-il, que s'est noué entre elles deux un lien véritablement intime. Mais cela non plus ne devait pas durer longtemps. Jana avait tout juste onze ans lorsque les Allemands, qui avaient entre-temps occupé le pays, vinrent arrêter sa mère. En partie à cause de ses articles, en partie parce qu'elle aidait des personnes en péril à fuir les nazis.

La fillette fut recueillie par son colérique grand-père, professeur de médecine dentaire célèbre dans tout Prague. Quels furent leurs rapports? Jana n'en parla guère, et d'ailleurs, de façon générale, elle parlait peu de son enfance. Une particularité que du reste, dans ce livre, elle attribue également à sa mère. Jan Jesenský mourut en 1945, et, à dix-sept ans, Jana se retrouva seule au monde – Milena avait péri un an plus tôt dans un camp de concentration. D'après des amis de la famille, son grand-père lui laissa près d'un million de couronnes. Une fortune qu'elle dilapida en une année : elle invitait des amis chez elle, leur offrait le gîte et le couvert, donnait des fêtes somptueuses.

En fait, claquer son argent fut sans doute ce qu'elle avait de mieux à faire. En 1948, les communistes prirent le pouvoir et, peu après, nationalisèrent jusqu'aux immeubles d'habitation. Après la réforme monétaire de 1953, les épargnants se retrouvèrent une fois de plus grugés. Jana, à vrai dire, n'avait plus ce genre de soucis. Fille d'une femme vouée aux gémonies par les communistes, il lui fallait trouver le moyen d'assurer sa subsistance. Elle s'était mariée en 1949, mais peu après son mari avait émigré en Israël. Elle fit la connaissance de son deuxième mari, Miloš Černy, en 1950. Trois enfants naquirent de cette union, et Miloš en accepta à son foyer un quatrième, dont il savait cependant qu'il n'était pas de lui. Mais le couple, là encore, ne dura pas longtemps. Ils se séparèrent, et les quatre enfants – j'étais l'un d'eux – furent dispersés, placés dans des maisons d'enfants de la République.

En ces années-là, Jana changea plusieurs fois de métier : elle exerça successivement les emplois de femme de ménage, receveuse de tram et aide-cuisinière. Parallèlement, elle avait commencé à écrire. Des récits, publiés dans diverses revues, et deux livres : *Ils n'étaient pas mes enfants (Nebyly to moje děti)*, un recueil de nouvelles sur des destins d'enfants, et *L'Héroïsme est un devoir (Hrdinství je povinné)*, l'histoire d'un jeune homme dans une brigade de reconstruction. Un jour, je lui demandai si ma grand-mère avait écrit un roman.

Elle me répondit (ce fut l'un de ses rares propos sur Milena Jesenská) : « Elle n'écrivait que des articles courts. Elle n'avait pas assez de souffle pour un livre entier. »

Un jugement qui pouvait certainement s'appliquer aussi à Jana. Et pas seulement en ce qui concerne l'activité littéraire : lorsque, au bout de quelques années, elle reprit deux de ses enfants, elle ne les garda avec elle que, respectivement deux et trois ans. Nous nous sentions aimés, elle nous parlait comme à des adultes, et s'attendait à ce que nous nous comportions en conséquence. Mais elle ne pouvait s'astreindre à s'occuper régulièrement des petites choses de la vie quotidienne. Nous étions livrés à nous-mêmes des journées entières et, bientôt, la garde des enfants fut confiée au père.

Jana se remaria au début des années 60 et donna naissance à un cinquième enfant. Le bébé, un garçon, fut rapidement confié par les autorités à une famille nourricière, et Jana condamnée à un an de privation de liberté pour défaut de soins à enfant.

Elle n'avait plus rien publié depuis longtemps. Ce n'est que dans le courant de la décennie soixante qu'elle reprit l'habitude de s'asseoir à sa machine à écrire. Elle rédigea alors, entre autres, le livre sur Milena. Il en ressort clairement que le souvenir de sa mère a, toutes ces années, accompagné Jana Černá comme une ombre. Il lui avait fallu, aussi, s'occuper de l'affaire des *Lettres à Milena* de Kafka. Elle ne put, cependant, exercer aucune influence sur le destin. Les lettres aboutirent derrière le rideau de fer, hermétiquement clos, et toute communication s'avéra pratiquement impossible.

Cela également, elle le décrit dans son livre. Mais nous y lisons aussi, à côté des faits, son extrême méfiance envers toute espèce de pathos, son froid réalisme en des moments où d'autres sont enclins au sentimentalisme et, surtout, sa profonde horreur de l'intolérance et de la pusillanimité.

Jana Černá est morte le 5 janvier 1981 des suites d'un accident de voiture. Les six-sept dernières années de sa vie en ont certainement été les plus paisibles. Elle avait trouvé la paix de l'âme aux côtés de son quatrième mari, fabriquait des poteries avec un remarquable sens artistique, et aimait jouer avec ses petits-enfants.

Jan R. Černý,
Mannheim, septembre 1985.

Dans Le Livre de Poche

Le LIVRE de POCHE

Franz Kafka

Journal   3001

Traduit et présenté par Marthe Robert

Voici le témoignage le plus poignant de toute l'histoire de la littérature. Kafka relate tout ce qui l'envahit et l'abat : peur de la maladie et de la solitude, désir et crainte du mariage, lutte contre le milieu familial et religieux. Ce *Journal*, c'est tout l'ennui de la vie et la tentative de salut qui l'éclaire.

A l'époque où il entreprend son *Journal*, Kafka croit pouvoir faire de ses notations quotidiennes un pont entre sa singularité et le commun des hommes, il espère encore provoquer la rupture de son *cercle* – déjà dangereusement resserré, l'isolement ayant commencé dès la plus lointaine enfance – et demande à ses carnets de l'aider dans cette tâche dont il dira plus tard que jamais homme n'en connut de plus difficile.

Dans les dernières années de sa vie, il jugera que la littérature, en l'enfonçant dans l'isolement, en le détournant de *la joie de vivre d'un homme sain et utile*, l'a affaibli et rejeté dans sa singularité. Si surprenant que cela paraisse, il la rangera alors parmi les échecs de sa vie, à côté de ses tentatives de mariage, de ses efforts pour apprendre un travail manuel, de son étude de l'hébreu ou de son adhésion au sionisme.

La Métamorphose   6633

suivi d'une étude de Vladimir Nabokov

Traduction nouvelle de Brigitte Vergne-Cain et Gérard Rudent

« Lorsque Gregor Samsa s'éveilla un matin, au sortir de rêves agités, il se trouva dans son lit métamorphosé en un monstrueux insecte. Il reposait sur son dos qui était dur comme une cuirasse, et, en soulevant un peu la tête, il apercevait son ventre bombé, brun, divisé par des arceaux rigides, au sommet duquel la couverture du lit, sur le point de dégringoler tout à fait, ne se maintenait que d'extrême justesse. D'impuissance, ses nombreuses pattes, d'une minceur pitoyable par rapport au volume du reste, papillonnèrent devant ses yeux.

« ''Qu'est-il advenu de moi ?'' pensa-t-il. Ce n'était pas un rêve. Sa chambre, une vraie chambre humaine quoiqu'un peu trop petite, était là, paisible entre les quatre murs familiers... »

Avec Kafka, le fantastique n'est plus un élément déroutant. Il devient tout naturel. Il est ressenti de l'intérieur. C'est en quoi Kafka, comme Proust, Joyce ou Céline, est une des clefs de la littérature du XXᵉ siècle.

                                                    Roger Nimier.

IMPRIMÉ EN FRANCE PAR BRODARD ET TAUPIN
Usine de La Flèche (Sarthe).
LIBRAIRIE GÉNÉRALE FRANÇAISE - 6, rue Pierre-Sarrazin - 75006 Paris.

ISBN : 2 - 253 - 05264 - 7   ◈ 30/6747/7